*Rich*致富 81

富爸爸銷售狗

Sales Dogs

培訓No.1的銷售專家

布萊爾・辛格（Blair Singer）◎著
張春波、張疆◎譯

英屬維京群島商高寶國際有限公司台灣分公司
高寶國際集團

Rich致富館081

富爸爸銷售狗 Rich Dad's Sales Dogs

作　　者：布萊爾・辛格 Blair Singer
譯　　者：張春波、張疆
書系主編：張啓淵
編　　輯：蘇芳毓
校　　對：邱勤美
出 版 者：英屬維京群島商高寶國際有限公司台灣分公司
Global Group Holdings,Ltd.
地　　址：台北市內湖區新明路174巷15號1樓
網　　址：www.sitak.com.tw
E- mail：readers@sitak.com.tw（讀者服務部）
pr@sitak.com.tw（公關諮詢部）
電　　話：(02)27911197 27918621
電　　傳：出版部 (02)27955824　行銷部 27955825
郵政劃撥：19394552
戶　　名：英屬維京群島商高寶國際有限公司台灣分公司
發　　行：希代書版集團發行/Printed in Taiwan
初版日期：2005年6月

國家圖書出版品預行編目資料

富爸爸銷售狗：培訓No.1的銷售專家/布萊爾・辛格著.
—第一版.—臺北市：高寶國際出版：希代發行.
2005〔民94〕
　面；　公分
譯自：Sales dogs:you do not have to be an attack dog to be successful in sales
ISBN 986-7323-32-7（平裝）

1.銷售

496.5　　94006505

謹將此書

獻給所有孤軍奮戰的銷售員

以及我的兒子班哲明

他就是超級銷售狗！

當我還是個孩子的時候就被告知，如果我想變富有，就必須學會如何與人合作，學會如何推銷。有了銷售的能力，也就有了隨時隨地創造收入的能力。

銷售是所有商業活動的來源，從銷售中你可以領悟到某些最了不起的祕訣，讓你得到最想得到的東西，不僅是財務上的，也是精神上的。

——布萊爾・辛格

《富爸爸銷售狗》

· 勾畫五個品種的銷售狗

· 揭示五種簡明易懂又重要的技能

· 教你如何識別你的品種，發揮你的潛力

· 教你如何激勵並指導銷售人員，並詳細列出執行步驟

· 教你如何有效率地行銷，並增加銷售成績

· 教你如何在三十秒內徹底轉換心態，將財富掌握在自己手中

富爸爸銷售狗

CONTENTS

致謝

我只能說我這一生非常幸運，因為我有世上最好的老師和最好的上司。你也許不會在《財富》雜誌上看到他們的名字，他們的名字可能也不會被載入史冊，或是出現在《世界名人索引大全》上，但是，正是他們讓我今天的生活如此豐富多彩。他們似乎總是在我左右，就像巴克敏斯特・富勒博士說的那樣，「總是出現在緊要關頭！」我唯一的願望就是把我從他們那裏學到的一切傳遞下去，讓別人也受益，以此來表達我對這些老師們的崇敬之心。

在給予我激勵與幫助的這些人以及老師當中，首先要感謝愛琳，我的妻子，她給了我不懈的支援，並讓我認識到純潔的愛情所蘊涵的真正意義。還有我的兒子班傑明，他給我帶來的激勵與鼓舞是迄今為止最讓我驚歎不已的。我親愛的朋友羅勃特・清崎，他以非凡的智慧幫助我打造了這個項目，沒有他，我可能至今都沒有找到自己人生的定位。而吉姆・清崎對我而言，一直是一盞指引我前行的明燈，我從他那裏得到了大量的資訊，並得到了來自他個人的全力支持。感謝我的父親和祖父，他們過去是、現在仍然是當今最了不起的銷售狗。他們教我如何做一個勇敢、正直、幽默和有毅力的人。我的母親和我的祖母讓我看到了愛和承諾的力量。我的

兄弟和兩個姐妹，他們一直是我最好的朋友和我最好的宣傳者。此外，我還要感謝在我生意上的明師羅勃特・艾特爾森，沒有他，我可能現在還在俄亥俄開牽引機呢。

感謝我的朋友大衛・艾佛列克，他一直不惜餘力地為我提供非常了不起的建議，為我指引方向。還要謝謝所有支持我的朋友們，是他們讓這一切變為可能，他們是：韋恩與林恩・摩根、凱斯・坎寧安（超級看家狗）、赫爾曼・萊特（冠軍銷售狗）、理查與維洛尼卡・丹、PJ約翰斯頓與蘇西・戴夫尼斯、保羅與溫蒂・百金漢克漢姆、卡洛爾・萊西、勞倫斯・韋斯特、傑恩・泰勒・詹森、波林・亞伯、布藍達・桑德斯、傑米・丹佛斯、朱莉・貝爾登、戴安娜・科爾斯、雪麗・邁索那夫、切裏・克拉克、DC哈里森，感謝所有多年來不惜投入寶貴時間為我提供知識和幫助的朋友們。

特別要感謝凱倫・麥克萊迪，她是個寫作天才，是她增強了《富爸爸銷售狗》的可讀性，使本書簡明易懂，而且她把我多年來想說的話正確地描述了出來。感謝麥克・雷諾和他的工作人員，感謝他們設計的網頁，以及他們為本書所投入的一切努力。

當然還要感謝愛因斯坦，是他將藝術、幽默和創造力完美地結合在一起，正是這一點賦予了《富爸爸銷售狗》生命、形體和不斷創新的精神活力。

推薦序

我的富爸爸說：「你的財富、你的權利還有你的幸福，都會隨著你的交際能力提高，而越聚越多。」

——羅勃特・清崎

窮爸爸的建議

我從越南戰場上回來時，覺得自己該決定到底是聽從誰的意見了。我是該跟隨我富爸爸的腳步呢，還是要繼續走窮爸爸的老路？我的親生父親說：「你應該再回到學校去讀書，拿一個碩士學位。」我問他為什麼要拿碩士學位，他說：「這樣你就能在GS評分中拿到高分，就能找到一份薪水比較高的工作了。」於是我問他：「什麼是GS評分呢？」

我爸爸接著解釋說，GS代表「政府服務（Government Service）」，高學歷有助於拿到更高的GS評分，而更高的GS評分就意味著更高的薪水。當時我還在美國海軍陸戰隊服役，

從一個政府機構轉到另一個政府機構，在我看來實在談不上是什麼首選。我很熱愛海軍，但是我並不喜歡政府機構中的人事制度，在那裏，一個人要升遷的話總是要看他的年齡、學歷、任期和其他個人無法把握的因素。我就曾目睹了很多能力很差的官員得到了升遷，而能力較好的人反而得不到升遷，前者都是些「惟命是從」的人，而絕非出色的領導人。

我爸爸建議我重返校園，無非就是要讓我再次進入政府部門，在更高的薪水基礎上為政府工作，這實在讓我興奮不起來。我想尋找一個能靠自己的理財本領實現個人發展的機會，而不是一切都要取決於我的學校成績和政府薪資制度。我絕對不想在自己的有生之年受雇於一個體系，聽憑這個體系來裁決我能賺多少錢，能得到什麼樣的福利，誰年資比我多、職位高，什麼時候我能退休，退休後可以拿多少錢。

富爸爸的建議

我告訴我的富爸爸，我決心走他的路——進入商界，他沒有鼓勵我重新回學校去讀書，而是說：「如果你想進入商界，就必須首先學會如何推銷。」

「學推銷？」我說：「但是，我要做個企業家。我要和你一樣。我要擁有大企業，手下雇很多人為我工作。我要投資房地產，擁有土地和高大的房屋建築群。我可不想去當個推銷員。」

富爸爸對我的幼稚無知只是付之一笑。

「你笑什麼?」我問道，「推銷和企業建設、人事管理、籌措資金、投資有什麼關係啊?」

富爸爸又笑了笑，說:「有著千絲萬縷的關係。」

態度的轉變

在《富爸爸，窮爸爸》一書中，讀者能瞭解到我是在一個教育之家長大的。家人認為我們理所應當地該去爭取碩士學位，甚至博士學位。

高學歷被賦予了極其尊貴的地位，而在天平的另一端則是推銷員。在我們這個知識份子之家，推銷員從事的職業被視為最低賤的職業。我的富爸爸告訴我說進入商界的第一步就是做個推銷員，立刻，我們家對推銷員的鄙視一下子就湧了上來，讓我全身上下、從思想到心靈深處都無法擺脫這樣的成見。如果我要接受富爸爸的建議，就要讓自己對銷售以及對當個推銷員的態度來個三百六十度的大轉變。

錫人

幾年前，好萊塢推出了一部影片，叫《錫人》。故事講的是幾個推銷員，挨家挨戶地推銷房屋裏用的鋁製壁板。雖然這是一部很搞笑的電影，但是我看這部片子時卻怎麼也笑不出來。我之所以笑不出來，就是因為這部影片太真實了，和現實生活一模一樣。

我上中學的時候，我父母有一次曾經讓兩個「錫人」進了我們家。這兩個人和我父母一起坐在廚房的桌子邊，開始大力推銷。大概一個小時以後，這兩個推銷員得到了一份簽好的合約。我媽媽填好了一張押金支票，這時其中一個推銷員站起身來，和我的父母握手，然後朝自己的車走了過去。買賣成交了。

接著我們都聽到了一種聲音，一種劈木頭的聲音。爸爸、媽媽、另一個推銷員、我兄弟和我都跑到門外，衝下樓梯。樓梯下面站著的是剛剛回到車上的那個「錫人」，他從後車箱裏拿出了一根鐵棍，正揮動著，朝我們家房子的一角劈去。

我父母驚訝得連話都說不出來了。他們都嚇呆了，不敢相信眼前發生的事情。「你這是幹什麼？」我爸爸終於問道。

「別擔心，清崎先生。」這個「錫人」一手拿著鐵棍，一邊說道：「我們不過是開始工作而已。」

接著，第二個「錫人」也走到車旁，拿出一塊鋁製壁板，兩個人把它釘在房子被砸破的地方。「好了，」其中一個說道，「工作已經開始了。等我們收到你的錢，就回來把剩下的工作做完。」說完，這兩個人就跳上車揚長而去了。

一連好幾個月，我們家房子的一角就一直那樣破裂著，上面垂著一塊破破爛爛的鋁製壁板。我父母特別難受，幾個月來一直吵個不停，好多晚上都睡不著覺。他們試圖解約，想把錢要回來，還要求對方把屋角修好。我記得媽媽對我說：「要是你爸爸因為這兩個推銷員的所作

所為犯了心臟病，氣死了，那我永遠都不會饒恕他們。」我當時也很為爸爸的身體擔心。

那兩個「錫人」再也沒回來。經過六個月的電話熱撥後，鋁製壁板公司最終把合約郵寄回來了，上面蓋著取消的字樣。雖然我父母爭取解除了合約，但是那家公司拒絕歸還已經預付的那部分押金，也沒來幫我們把房角修好，於是戰爭還在繼續。我們隔壁的鄰居這幾個月一直關注著此次事件遺留下來的爛攤子，最後他終於忍耐不住，將壁板扯了下來，把鐵棍搗毀的地方修補好了。從那以後，我父母不提則已，只要一提到那些推銷員，就必定會罵他們個個都是狡詐、懶惰、謊話連篇、投機取巧、四處遊蕩的人渣，恨不得把所有他們能想到的貶義詞都堆到推銷員的身上。

如今「錫人」事件已經過去大概十年了，而現在我的富爸爸居然建議我學做一個職業的推銷員。富爸爸在和我說這些話的時候，我的腦子裏只盤算著一件事情，那就是：「我怎麼和我爸爸說呢，說我要做個『錫人』？」

我所得到的最好建議

如今，要是有年輕人問我，他們初涉商界應該做些什麼，我給他們提出的建議和我的富爸爸當年給我提出的建議一模一樣，就是去找一份銷售工作。我告訴他們，我的富爸爸曾建議我找一份可以提供正規銷售培訓的工作，而這可以說是我所得到的最好的建議。

這些年輕人沒有意識到這個建議中蘊含的高明之處，他們和我當初做出的反應一樣：「可

是我有大學學歷。我難道不應該從管理做起嗎……怎麼能去做推銷呢？」

在這種情況下，我總是把錫人的故事說給他們聽，然後再把我的富爸爸對「錫人」的評價也說給他們聽。關於「錫人」，我的富爸爸是這麼說的：「這個世界上充滿了『錫人』。所有的行業裏都有這樣的人，不僅是在推銷界。在教育界、醫學界、法律界、政界和宗教界都有這樣的『錫人』。所以不要因為你遭遇過幾個『錫人』，就對整個推銷行業妄下評語。『錫人』之所以成了『錫人』，是因為他們不是優秀的推銷人員。操縱、欺騙、施加壓力、假裝誠信、虛偽的微笑，這些都不是銷售。銷售是交際。真正的銷售是要付出關心、認真聆聽、解決問題、為你的夥伴提供服務的。」

對富爸爸而言，銷售意味著一種能力，一種超越個人疑慮、恐懼和欲望的能力，而推銷意味著每天抱著同一個信念而四處奔忙，這個信念就是為我們的夥伴提供服務。在他看來，這就是銷售的全部含義。他說：「真正的銷售或交際不在於你能拿下多少訂單，或者你佣金的支票數額有多大。真正的銷售意味著你對公司的產品或服務滿懷熱情，同時對自己同類的需要、目的和要求充滿理解。」

富爸爸相信互惠法則，也就是所謂的黃金法則。他很清楚，不能僅僅依靠佣金支票來衡量一個人的銷售能力。相反，他說：「要不斷提高你個人的銷售能力和交際能力，如果你能使用自己的技巧來幫助他人，那麼你的生活也將得到改善。」他不斷強調這一點，說：「你的財富、權利和幸福都將隨著你的交際能力的提高而不斷積累。這個技巧是你在商界，乃至在人生

當中最重要的技巧，用你的技巧去改善他人的生活，而你的生活也將得到改善。」

不管你選擇的是哪一種行業，交際能力和銷售能力對你的成功來說都是非常重要的。

偉大的領袖都是偉大的交際家

最終讓我轉變態度、決定進入銷售界的主要動力是，富爸爸指出：偉大的領袖都是偉大的交際家。富爸爸讓我回想一下，林肯在蓋茨堡演說詞中表現出的非凡力量。富爸爸說：「他成功地推銷了這樣一個觀點，那就是這場戰爭是一項偉大的事業，為這個事業而戰是值得的。」富爸爸還提到了約翰•甘迺迪，說甘迺迪在有關登月計畫的演講中成功地推銷了一個觀點，就是我們應該把人類送上月球。作為一個虔誠的教徒，富爸爸還提到了德蕾莎修女等人，講述了他們如何默默地向世人推銷一種關愛人類的理念，以及這些人在這一推銷過程中所表現出的超凡能力。

富爸爸說：「如果你夢想著有一天自己能成為某個領域內的領袖人物，那麼你就要不斷地努力提高自己的銷售能力，因為正是這種能力造就了偉大的領袖。正是他或她推銷某種信念的能力，使人們的生活乃至人類的歷史發生了徹底的改變。」

開始銷售訓練

一九七四年，我離開了美國海軍陸戰隊，來到全錄公司就職。我之所以選擇全錄，是因為

它能為職員提供非常出色的銷售培訓。實際上，這是一個他們向其他公司做行銷的項目。不過，除了他們的銷售培訓項目非常出色之外，同樣吸引人的是，真正的課堂就在辦公室裏和大街上。

對我來說，學習推銷是我所經歷過的最難的一件事了。我是一個很怕羞、很內向的人，每次我去敲人家門的時候，心裏那份恐懼簡直比上越南戰場還要厲害。在最初的兩年裏，我痛恨自己的這種恐懼以及我每天上午都要經歷的這種磨難。我痛恨不得不對我的銷售經理說，我這個月的業績又很糟糕，什麼都沒賣出去。我痛恨看到自己的佣金支票，它讓我意識到自己這個月很可能又要入不敷出了。我痛恨學習推銷的每一個環節——可這也是我所經歷的最好的商務培訓。我可以很坦誠地說，我今天所擁有的財富、權力和幸福都和我的銷售能力以及交際能力直接相關。

銷售狗的重要性

布萊爾・辛格是我二十年來最好的朋友之一。他是一個了不起的交際家、一個了不起的老師，也是一個很了不起的人。他的著作《富爸爸銷售狗》給這個平日枯燥、嚴肅的主題抹上了一絲幽默的色彩。布萊爾和我第一次談到他的這本書時還是在一九九九年，當時我們都回想起了自己當初還是個推銷新手時，參加銷售會議的情景，坐在會議室裏的是各式各樣的銷售人員。每個星期一早上，我們這些性格迴異的人都要齊聚一堂，等待銷售經理來發佈鼓舞士氣的

演講，我們當時老拿此舉開玩笑，總是暗地裏竊笑不已。就是在那個時候，布萊爾曾經這樣說過：「要訓練整整一屋子的銷售人員，簡直要比訓練整整一屋子的狗都可怕。」就是在那個時候，他提出，一個商業銷售部門就像一個狗窩，裏面有各種不同的混種狗和純種狗。就這樣，銷售狗培訓專案誕生了。

能請布萊爾・辛格做富爸爸顧問，並把他的《富爸爸銷售狗》一書納入富爸爸顧問系列，我深感驕傲。如果我的富爸爸今天還在世的話，他也會為此而感到驕傲和開心。如果我的富爸爸在這裏，他一定會對你說：「堅持提高你個人的銷售能力和交際能力，你的財富、權力和幸福都將隨著你的交際能力的提高而不斷累積。」

請讀讀這本書吧，把這樣的閱讀當成是一種享受和學習，然後在它的指導下前進，獲取你想要的財富。

——羅勃特・清崎

前言

在羅勃特·清崎所著的《富爸爸，有錢有理》一書中，他提出了E（雇員）、S（自由職業者）、B（公司擁有者）、I（投資人）這四個群體類別。顯然，積聚財富的最好機會都集中在B／I這一邊。可是對很多人來說，取得生意上的成功乃至建立一項業務所面臨的最大的障礙，莫過於對銷售的恐懼和厭惡，以及個人銷售能力的欠缺。如果你不會推銷，你就無法開展任何業務。銷售和領導是相輔相成的，因為兩者的重心都是要向他人展示一個更好的構思，並說服人們為了這個構思而採取積極的行動。我從沒見到任何一個了不起的領袖人物，不知道如何推銷、不知道如何說服別人或影響別人。

對那些還沒有準備好進入B象限，或者根本就不想進入B象限的人來說，還有另一個創業的機會，而這個最大的潛在機會就在於學習推銷。一旦掌握了這個工具，你就能藉由佣金、版稅、股本和紅利從銷售中積聚大量的資金，以使自己儘快進入B象限或I象限。和那些守著固定收入的人相比，你可以得到更高的報酬。你不用再乞求別人幫你加薪，不用再期盼別人對你大發善心，你只需自己走出去，去推銷更多的產品。

我的爸爸（不是富爸爸也不是窮爸爸）和我的爺爺給我留下了一份非常了不起的財富，這筆財富就是一種認知能力。我認知到自己可以在任何時間、任何地方、任何一個角落裏創造收入。他們讓我認識到，如果我提供的一件產品、一項服務或是一個機會能夠滿足或超越另一個人的需要，那我就能賺到錢。而我要做的就是把它推銷出去！

如果你有意在B象限中取得成功，那你就必須成為一隻銷售狗。否則，你就只能空有偉大的夢想，卻一事無成。

我之所以寫《富爸爸銷售狗》這本書，是因為在這三十年裏，我一直在從事和銷售有關的事情，在這個領域裏，我親眼目睹了世界各地的許多人獲得了令人難以置信的成功，同時也有許多人經歷了巨大的挫敗。只要對一些有關銷售和交際的基本理念，進行一番深入的研究和探討，我們就可以將出現低潮的機率控制在最小範圍內，而讓高潮不斷掀起。

我自己也養了一隻狗。多年來，我發現我們的這些犬科朋友和我們人類之間存在著很多驚人的相似之處。除了這個人類最好的朋友，我們在世界上再也找不到一個更好的夥伴了。從古到今，狗總是護衛著自己的主人，為主人尋覓食物，在主人孤獨的時候付出無盡的愛與友情。牠們鎮定自若、勇往直前、永遠樂觀、持之以恆——和任何一個了不起的銷售人員毫無二致。

如果你能讀完這本書，並能從中學習，再學以致用，那麼你終將發現，下文所述的四種情況中至少有一種將發生在你身上：

1. 如果你一直就很喜歡推銷，那你的收入將出現實質的突破；
2. 如果你對自己做推銷這行不是很滿意，那你將變得昂首挺胸、得意洋洋、蓄勢待發；
3. 如果你沒做過推銷，那你將會考慮進入這個行業，不然就是重新審視自己的能力，意識到自己能對周遭世界產生何等巨大的影響；
4. 你考慮去買一隻狗！

在今天的商界，我們的評判標準就是看誰能使自己的服務、產品、機會或觀點激發公眾最大的興趣、最高的熱情和最忠誠的支持。現實中，有的人賺到了大把的鈔票，而也有的人在平庸中痛苦掙扎。

差別究竟在哪裡？你如何才能成為這場戰役的贏家，將他人的精力、承諾、時間和金錢都吸引到自己身邊來？

答案就在我們自身，就在我們每個人先天具備的才能和後天習得的技巧當中。只要我們具備了最出色的才能，並掌握了最有效的技巧去吸引他人、對他人產生影響，那我們就能獲得最佳的銷售業績，賺到最多的錢。

為了實現這一目標，我們首先要為大家破除一些誤解。

誤解一

要想取得成功的銷售業績，你必須成為一隻兇猛的「鬥犬」。只有某些人才能做銷售。

事實一

長久以來，開啟銷售大門的「鑰匙」一直都被視為神聖之物。數不清的書籍、影音產品還有大師們都自稱掌握了銷售和成功的祕訣。我們對銷售進行解剖、分析、系統化、專業化和「淨化」，結果，最終我們遠離了銷售的本質，反而忽略了最簡單的道理。

這個道理就是，要想取得成功的銷售業績，你不一定非要成為一隻能穿越槍林彈雨的「鬥犬」。這只是銷售狗當中的一種而已，事實上，銷售狗共有五個品種。如果你能發現自己屬於哪個天然品種，然後把你天生的本領發揮出來，問題就簡化成了如何發揮你最大的潛質。如果你能繼續向前，從其他品種的銷售狗那裏學習一些技巧，那你就能獲得更大的成功。

例如，黃金獵犬是世上最快樂、最友好、最讓人憐愛的狗——牠會利用一切機會向你搖尾巴，把你從頭到腳舔個夠。但是，如果你膽敢威脅他的主人——突然之間，牠再也不那麼友好了！黃金獵犬天生的本領是友好、可愛，但是經過訓練，牠可以具備比特犬的本事。

我們都是具有自身特點的個體，如果企圖把我們倒入固定模子裏煉成特定的、完美的推銷員，一開始就注定會失敗。這樣的努力不會取得任何結果，只會讓我們這群人不開心、不成功。

誤解二

我們常常被告知，必須全面發展，掌握一個銷售人員應該掌握的每一種技巧，擁有一個銷售人員應該擁有的每一種本領。不可能！這樣的人根本就不存在！傳統意義上，我們要接受評估，然後被告知必須克服自己的弱點。我們常常被迫與自己的本性相抗爭，而這種爭取完美的努力卻是徒勞無功的。

事實二

成功的祕密並不在於全面發展。我們不需要對每一個人都應付得面面俱到，我們需要做的就是找回自己，清楚並接受自己是怎樣的一個人，然後用這樣的自我認知來發揮自己的能力，把這種能力轉化成資本。

任何試圖把弱點轉化成強項的努力都是浪費時間！發現你能做好的事情，把這些能力充分利用起來，這就足以讓你具備相當的競爭力了！

我要告訴你，你完全可以做你自己。

我要告訴你，你只要做你自己，就可以從銷售當中再賺到成千上萬元的錢。

我要告訴你，我來教你怎麼做到這一點。

誤解三

所有的銷售人員都是嗜血成性的鯊魚。

有的人（嘿，也許就包括你在內）在選擇職業或是自己想見的人的時候，最不願意選擇的就是銷售或是做銷售人員，在他們眼裏，推銷員還不如下水道修理工和核子試驗裏的活人實驗品呢！

對你們這些抱有類似想法的傢伙們來說，「接受」別人的推銷都是生不如死，更不用說自己去做推銷了。只要一提起這個字眼，你們的眼前就會跳出這樣一個形象——一個叼著雪茄的懶鬼，狡詐多端，整天挖空心思利用他人。

事實三

首先，如果你害怕別人會這麼看你，或者你怕自己有這樣的想法，那你就很難做出超人的成績。你對這個職業的畏懼或厭惡將影響到你的工作成效。

推銷員不過是資訊的採集者和發佈者，採集並發佈所需服務、產品和機會的資訊。你要想做推銷，首先就必須轉變你對銷售的看法。約翰・甘迺迪曾經做過推銷，金恩博士做過推銷，甘地做過推銷，你的孩子們也在不停地做推銷。邁克・戴爾①、路・葛斯納②、華倫・巴菲特、文斯・隆巴迪③、你的上級還有你的父母——他們都做過推銷。這些人都曾經在關鍵的時刻為

大家提供了重要的觀念，幫助人們在生產、能力以及個人發展上進入一個更高的層次。你選擇的形象就是你自己的形象。

誤解四

我一生都在從事銷售，沒有什麼是我不知道的。

事實四

我們今天生活的這個世界與我們昨天經歷的世界、我們明天將要面對的世界都不盡相同。在歷史上，沒有哪個時期會出現如此迅速的變化。昨天還管用的東西明天就未必有用了，所以成功的銷售狗必須不斷學習，走在變化的前面。

《富爸爸銷售狗》一書要傳授的是一種思維方式，這種思維方式將使你具備一種必勝的心理與情緒優勢。它教授的是技巧、技能和戰略，這些必將提高你的推銷能力。

甚至連老銷售狗都能重振雄風，具備相當的競爭力——只要他們能投入地去學習、去成長。所有的狗都能打獵——有的狗只是因為吃得太好或者鍛鍊太少，因此忘記了該怎麼打獵而已。不能打獵的狗完全是自作自受，牠們要不是自我中心意識太強，不然就是缺乏學習的欲望，不願意發展和掌握新的技巧。這樣的狗再也不能和街上那些小狗一爭高下了。要想保持實力，就必須堅持學習。

誤解五

我不在銷售行業工作。

事實五

不管你是否把自己當成一名銷售人員，總之，銷售課程具有讓人難以置信的價值。不管你想從生活當中獲取什麼，銷售知識都將幫你實現願望。

我堅持認為每個人都在做銷售。如果你結婚了，如果你已經為人父母，如果你是個企業家，如果你是一名雇員，事實上，如果你有一種衝動，那你在大部分時間裏就處於異常激烈的銷售競賽中。生活就是銷售，而你的銷售團隊會隨著你個人的變化而變化，這個團隊裏有哪些人完全取決於你正處於生活的哪個階段，以及正面臨著怎樣的危機或局勢。

你如果在和別人合作，那麼處理糾紛以及勸說他人便成了家常便飯。同樣，和你的老闆、你的銀行、你的兄弟姐妹、你的賣主買主以及住在你隔壁的那個傢伙打交道，都是銷售過程中的一部分。不過，你能贏得的最重要的一份銷售合約就是和你自己簽下的那份。你是你自己最苛刻的評論員、最難對付的客戶，是給自己不斷提出否決或異議的一部機器。可是即便如此，你還是必須每天都努力說服自己，向自己推銷。

銷售中所蘊涵的技巧可能是對人們生活影響最大的一種看得見的技巧。我可以告訴大家，

學習並掌握這些技巧為我編織了這一生的美景。我的婚姻、家庭、事業、朋友還有生活格調之所以有這麼高的質量，完全都是因為我學習並應用了從銷售中領略到的這些技巧。

而且這其中的絕大部分內容不是從任何銷售培訓課程或高薪聘請的顧問那裏學來的。它來自於三十年不斷的觀察、理解和實踐。這本書你看的次數越多，你的生活就會變得越輕鬆、越富有、越有價值。

《富爸爸銷售狗》一書對我們進行了一番既嚴肅又不恭的審視。每個人內心都有一隻「狗」。每個人的內心還都有一件珍寶。《富爸爸銷售狗》試圖教你同時看到這兩者的存在。

《富爸爸銷售狗》有一點幽默，它提供了一種出色的個人發展培訓，並講授了許多具有突破性的技巧，是專為讓你成為自己理想中的成功人士而設計的，讓你完全為自己以及為他人的利益而服務。你提供的服務越多，得到的回報也就越多。《富爸爸銷售狗》將使任何一種銷售都變得簡單起來。你將學會認識自己，認識自己歸屬於哪種銷售狗，這樣你就可以把自己的才智兌換成現金。本書還將教你，從其他品種的銷售狗那裏學會最好的銷售技巧、心理技巧和情緒技巧。這樣你就能提高自己天生的本領，成為該領域裏的領袖人物。

《富爸爸銷售狗》為你提供一種方法，幫助你發現自己的強項，並將它轉換成資本。

銷售是一段真正意義上的個人發展旅程。你所學習的有關銷售、人、展示、行銷、處理異議的技巧都將讓你的口袋裝滿現金。每天你都在學著瞭解你究竟是誰，你是由什麼構成的。

真是一場奇妙的探險！

一隻真正的銷售狗知道，熱情、充滿活力和出色的培訓能給人帶來滿足感，帶來現金！這本書是你擁有的個人培訓項目，它將陪你走向一種更富有、更快樂、更享受的生活。你讀的越多，推銷出去的就越多，而得到的樂趣也就越多。

來，讓我們去打獵吧。

作者提示

雖然本書中有的章節好像是專門針對銷售經理，但實際上，本書的內容是面對所有的銷售人員的。它將幫助你（一名銷售人員）確定自己的品種，瞭解自己的強項，同時賦予自己相當的洞察力，將自己的弱點限制在最小的範圍內。如果你是一名銷售經理，它將幫助你認清你手下的銷售狗都屬於什麼品種，這樣你就能派遣合適的狗去對付相應的獵物了！這其中的見解對銷售人員和經理人來說，都具有相當的威力。

最好的銷售狗會盡一切可能去學習如何激勵自己、激勵他人。

我還想鄭重聲明，我不能保證本書所提的狗的個體習性，和思維方式都準確無誤。我不是一個專門研究狗的專家，這本書也不是關於狗的科學研究著作，它只是基於我對狗的業餘認識和我對成千上萬名銷售人員的職業接觸。如果你是一個專門研究狗的專家、一個狗的熱愛者或者一個愛追究細節的人，請不要因為此書的內容不夠精確而生氣。本書的目的是幫助你學習，尋找樂趣，並成為你該成為的大人物。

一、你是一隻銷售狗嗎？

時機到了！

答案就要揭曉了。這一連幾個月辛苦的工作、等待、期盼和揣測在短短的幾分鐘內就要告一段落了。

你生活在一個獨一無二、黑白分明的世界裏。在這裏，亞軍是領不到任何獎品的。這是一場皆大歡喜、不然就全盤皆輸的遊戲，勝者為王，敗者為寇。雖然我們的行業術語複雜且精細，但實際上真正有分量的只有兩個詞：「行」與「不行」。

在等待最終的答案時，你的腦子裏不禁回想起了這幾個月裏所發生的一切……一切都開始於三個月前的一天，在一個擁擠的電梯裏，你的朋友遞給你一張小紙片。上面寫著一個人名和一個電話號碼。「打個電話給他們，」你的朋友說：「我想他們可能會感興趣的。」

於是，遊戲開始了……

你開始了第一次的聯絡，衝破私人助理這道防線，最終聯繫到了你要找的決策人。接下來是一次次的會談，無數封電子郵件在你們之間傳遞著資訊。在一次高峰電話會談中，終於出現

了轉捩點，你激起了他們的興趣，現在只差最後一步了。

很快就要作最後的簡報了。你已經對競爭對手作過了調查，如果沒有意外的話，你知道這筆生意就是你的了。在簡報過程中，你處於遊戲的最高潮部分，你的行動很穩健，你的言辭有理有力。在燈光柔和的會議廳裏，你一邊陳述，一邊配以優雅的身體語言，你藉由精心雕琢的語言讓在座的人充分理解你的觀點。一切都完美無瑕，直到你要面對「提問」的那一刻。

你的同事聽到「提問」幾乎倒吸一口冷氣，不過你站得筆挺，用你那招牌式的鎮定風格對答如流。問題很刁鑽，但是你已經作過了精心的準備與演練。在座的人沒有一個能看出你心裏的不安。

或者他們看出了什麼端倪？你剛才是不是

不應該這樣回答這個問題？

這些「假設」、「但是」和「也許」都是事後諸葛，當你在那裏等待陪審團宣佈他們的最後裁決時，腦子裏就一直在追悔自己剛才自認為表現不佳的地方。現在，你沒有更多的說話機會了，你不能再補充，只能滿懷著焦慮和不安在這裏等待。你所有的努力都要取決於這棟曼哈頓的摩天大樓裏剛剛完成的這場討論結果。

你看著掛鐘，看著秒針在滴答轉動。你幾乎能感受到現在那邊正在舉手表決。表決統計完畢了，結果出來了。

電話鈴聲讓你從思緒中驚醒過來。你衝過去聽最後的結果，差點撞到桌子上——你太想知道最後答案了，這種煎熬比最後的結果還讓你無法忍受！就在這時，你讓自己平靜了下來，集中精神，恢復了冷靜的表情，作了一次深呼吸：「嘿，如果我拿到了，那很好；如果沒拿到，大不了明天從頭再來。」鈴聲響過多次之後，你才拿起聽筒，盡最大努力用一種愉快的聲音答道：

「你好。」

這樣的情景是不是很熟悉?應該是的。我們都有過這樣的經歷。

這是戰鬥中的生活。這是一場不間斷的、讓人無喘息餘地的追逐。在一次次勝利中間夾雜著許多次失敗和拒絕，在喜悅、期待、得意與興奮之中往往夾雜著恐懼、拒絕和失望。一時之間你會覺得自己高大無比、刀槍不入，可是轉眼之間，你又覺得自己像個呆頭呆腦的傻瓜！但

是，正是這種追求的刺激帶來莫名的吸引力，一次次地把我們拉回到遊戲中來。

許多銷售人員私底下常說，銷售行業的生活簡直就是「狗一樣的生活」。不過在這嘲諷中卻隱藏著你可能想像不到的真理。作為銷售人員，我們和那些犬科朋友確實有著許多的相似之處。

比如，你是否觀察過狗追木棍的情形？

你拾起一根木棍，把它扔到茂密的綠草地的另一端。你的狗會立即衝出去，伸著舌頭、淌著口水、揙著耳朵，飛躍一簇簇雛菊和喇叭花，全身的肌肉都繃得緊緊的，不顧一切地去追逐那根木棍。狗嘴咧得大大的，彷彿是在開心大笑，牠滿懷著興奮，這一刻對牠來說簡直無異於置身天堂。所有出門前的煩瑣，所有的懇求和討好，所有前往公園的勞累都值得，這隻狗的生活樂趣就在於追逐這根木棍！

你有沒有問過自己：「是什麼讓狗熱愛追逐木棍的遊戲？」

你有沒有問過自己：「我為什麼要不斷地追逐訂單？」

如果你觀察過一隻狗是怎麼不停地懇求人扔球或是木棍給牠追的，那你就會明白推銷和狗之間都有哪些類似的地方。一隻狗會一次次地把木棍叼到人的腳下，讓人拿牠簡直沒辦法。牠用自己的方式觀察到了，這個人最終一定會把棍子拿起來扔出去。雖然很多時候人們會對牠置之不理，或拒絕牠的請求，可是每次牠都會以同樣的熱情和期待再次提出同樣的要求。

孩子們也是一樣。

我的兒子班傑明一旦想要做什麼事情，也是這樣一種勁頭。

「爸爸，你來和我玩好嗎？」

「好的，班，等我把這個打完了，只要一秒鐘。」

「爸爸，你現在可以和我玩了嗎？」

「好的，班，我說過就一分鐘。」

「爸爸，一分鐘還沒到嗎？」

如果你曾經請求過別人，曾經試圖勸說別人，曾經和別人談判，曾經操縱甚至控制別人的觀點的話，那麼你就是在做推銷。事實上，如果你真的喜歡那種勝券在握的感覺，那你可能和我們的犬類朋友有很多相似之處，說不定你還能從牠身上學到很多東西呢。你很可能就是我所說的「銷售狗」。

事實是，銷售狗的生活是一種了不起的生活。

世界上的冠軍級銷售狗都是我們這個時代裏最受人尊敬、薪水最高、最受推崇的企業英才。沒有銷售狗，企業就無法生存；沒有了不起的銷售狗，企業就無法繁榮。幾乎所有了不起的企業領導人、成功的企業家和了不起的投資家，都把成功歸結於他們所接受過的銷售培訓和銷售經驗。

能以激情、智慧和技巧獲取或獵取自己的目標，是一種獨特而寶貴的才能。毫無疑問，如果你對推銷、遊說或談判越是內行，出色的公關以及財富、機遇的大門就越容易為你敞開。

你得到的回報是大量流入的佣金、不斷擴展的人際網絡、各式各樣的讚美與榮譽、自由自在沒有羈絆的生活方式，不管你是謙恭安靜的，還是善於社交、友好熱情的，你甚至可以是很有手段和智慧的，也不管你是做公司銷售，還是做直銷，或者是做房地產、保險、零售等獨立行銷的，總之，這一切都將成為你做推銷的回報。

成功的關鍵不是努力去拷貝別人的特色方式，而是去學習如何發掘你自己獨特的潛質。所以，首先你必須要認定自己的品種。在接下來的幾個章節中，我們將對每一種狗的特點進行重點介紹。

當你知道了自己屬於哪一種銷售狗之後，你就可以賺進大筆現金，來打造你夢寐以求的生活方式。你要瞭解自己天生的強項，這樣你就能利用它們為自己贏得有利的成果。你還要看到自己天生的薄弱環節，學會如何去規避這些弱點，或者想辦法彌補弱點，這樣你就能在生活的各個方面都得到「行」的答覆。如果你決心去學習頭號銷售狗所掌握的本事，那你就能擁有一切你渴望的財富。

由於銷售是一個團體運動，你要有能力確認你的合作夥伴有何本領，屬於哪一個品種，這將對你的成功機會產生重要的影響。任何一個和你的目標客戶有關聯的人，都是你團隊中的一員。不管你是一名銷售經理還是一個銷售團隊中的成員，能確定同事的品種對你來說都有著非同尋常的意義。

你將明白如何理解你周圍的人，如何把這種認識轉變成驚人的成果。

注意：不是所有人都是一隻狗！我們說的不是貓，不是馬，也不是小鳥。如果你是一隻狗，你就要能夠去打獵。至於別的生物，我就不得而知了。在你內心的深處，是否感受到了一點犬類的衝動？

你還不能肯定自己是不是一隻銷售狗嗎？來看看下面這些問題：

- 當一個目標客戶對你說「行」的時候，你會感到一陣激動嗎？
- 有時候「打獵」的過程是否比收穫的感覺還要好？
- 你會放棄部分佣金來換取額外的名聲、讚美和認可嗎？
- 你是否生來就有一種堅持不懈的性情？
- 你聽到一個好故事時會被打動嗎？
- 你有一種試圖說服他人的傾向嗎？
- 在和一群人談論一個自己感興趣的話題時，你會發現自己的聲音變高了，情緒也變得更加激動了嗎？
- 你經歷過各種情緒變化嗎？你會時而把自己看成是心目中的傳奇人物，時而又把自己視為呆頭呆腦的傻瓜嗎？
- 有時候，你會覺得「受人矚目」是一種樂趣嗎？
- 你會花時間搞懂別人的心思嗎？

•你嘉歡贏嗎？

如果對上述一部分問題，你給的答案是「是」，那你可能就是一隻熱誠的銷售狗，有賺大錢的潛力。你要做的不過是瞭解自己所屬的品種，學習其他品種的優點，然後依照那個一目瞭然卻很有威力的模式採取行動，而這個模式的締造者就是，目前正躺在你廚房一角的那隻心滿意足的狗。

所有的狗都有能力去打獵、推銷和求勝，但是有的做得到，有的則做不到。讓我們來學習一下怎樣才能「抓到木棍」吧，你準備好了嗎？

讓我跟你講一個冠軍級銷售狗的故事。沒有魔法，沒有機關，而且他推銷的服務項目在競爭中也沒有特別能打動人的地方。只不過，他是一隻銷售狗。

多年前，他在德克薩斯的奧斯丁推銷健康保險。他把自己的客戶目標定位為新成立的企業，這些企業需要為員工買健康保險。他偶然看到了一間小辦公室，從外面可以看到這個辦公室裏有十幾個人正在忙忙碌碌、跑來跑去地組裝個人電腦。辦公室的桌子上堆滿了線路板和各種機箱。他提出要見主管，於是有人把他帶到了一個二十歲的年輕人面前，這個年輕人當時正在一張黑色的桌子前工作。他瞭解到這個年輕人剛剛畢業於德克薩斯大學，決心建立自己的公司，專門組裝個人電腦。我的朋友（也就是這隻銷售狗）預測這個年輕人構想出的公司會有一番大作為。問題在於，這隻銷售狗服務的保險公司在政策上不接受雇員少於五十人的公司作為

投保對象，而我們年輕的電腦公司老闆只有十六個員工。對我的朋友來說，真正的銷售戰必須上場了。他找了自己的經理和有關組織部門，找了他能找的所有人，試圖破除這個政策上的限制。他的老闆說「不」，但是對一隻真正的銷售狗來說，這意味著「衝」！經過了一番猛烈的推銷攻勢，並對一些規定進行了調整，他終於拿下了這家企業的保單。不出一年的時間，這家小企業就從十六名員工發展到了擁有五百名員工的大企業！而當時站在桌子前工作的那個年輕人就是邁克‧戴爾，如今他的公司已經成了一個傳奇。

這是一個非常有價值的經驗：要成為一隻了不起的銷售狗，你有時候必須跳過欄杆去爭取目標。你必須願意改變規則，犧牲一些神聖的原則來換取最好的交易。這意味著，最艱難的推銷就是向自己的團隊，或自己的公司推銷自己的觀點。如果這對所有人都有利，而且是合法的、合情合理的，那麼就不要在聽到第一聲「不」的時候畏縮不前。

不過這個故事最精彩的部分在於，在戴爾電腦公司發展成一家擁有五百名員工的大公司之後不久，我這個朋友便敗在另一家大保險公司的手裏，丟掉了戴爾的業務。就在丟掉這筆業務的當天，他又重新開始了另一輪的推銷。因為一隻真正的銷售狗從不輕言放棄。他似乎已經不可能再約見戴爾公司的任何人，或者引起戴爾公司任何人的重視了。於是他扮起了偵探，開始了瘋狂地偵察搜索。在一份戴爾公司的年度報告中，他找到了一個人名，這個人是戴爾公司的董事會成員，同時這個人也是他所在的保險公司的一名高級經理。我的朋友打電話給公司總部，找出這個經理的聯繫方式。我的朋友打了許多電話，寫了許多信，作了許多嘗試，終於讓

這個經理同意向戴爾公司的採購主管舉薦他的公司。他拿下這筆業務了嗎？沒有。戴爾公司主管採購的傢伙說，他對現狀很滿意，對更換保險公司這個想法根本不感興趣。我們的銷售狗朋友開始致力於打造和這個人的長期個人關係。他邀請此人參加公益活動、觀看體育比賽，並且為這個採購主管提供最新的資訊，這些資訊並不是為他自己的公司搞促銷，而是幫助了戴爾公司的這個人，讓他及時瞭解，一個發展中的企業對保險業都有哪些最新的需求。他與此人聯繫頻繁，這為今後的機遇打下了基礎。通過服務、服務、更多的服務，他和這個人建立了一種真正緊密的聯繫。終於有一天，競爭對手支撐不住了。一個電話，幾句交談，我們的銷售狗和他的公司又回到了戴爾。而此時，戴爾已經有了一千五百名員工。

當我的朋友離開原來的職位，來到另一家健康保險公司做銷售與行銷主管時，戴爾的員工已經達到了一千五百名。（佣金相當可觀！）

我的朋友最終學會了如何叼回獵物。他說：「我再也不會把這份訂單弄丟了。我確認自己已經在戴爾電腦公司的每一個角落都撒了泡尿，確保了自己的領地安全。」他當然沒有真的在那裏撒尿，但是他確實在每一個部門都建立了自己的同盟。他確保戴爾公司的關鍵人物都十分瞭解他們最新的健康計畫，確保一直有專門的人員去那裏，保證讓對方清楚地瞭解自己的利益，以及如何申請領取保險金，如何處理各種可能發生的問題等。這一切都做得井井有條。

我這個朋友叫赫爾曼，他目前在健康保險業的地位如日中天。我問他能否把他獲得的經驗總結一下，他笑著說：

1.「有時候你必須打破常規。」公司說他不能向一個員工還不到五十人的小公司推銷，而這一刻也正是真正的推銷開始的一刻。如果你要去為客戶服務，你就必須採取正確的行動！

2.「不存在聯繫不上的問題。」總有一個人會認識，那個能把你領進門的人。如果你肯花幾個小時的時間打打電話，那麼世界上就沒有一個人是你真的無法透過關係來取得聯繫的。看看年度報告、期刊、文章目錄、網際網路，作好你的市場調查；

3.「競爭對手的最大弱點就暴露在他們簽下協議的那一天。」他知道自己丟掉這筆業務的那一刻，就是他的競爭對手最得意的一刻。他們不知道他的目標，也不知道他是如何通過頻繁的聯絡、通過提供資訊和服務對客戶進行滲透的。當你丟掉了一筆業務時，只是意味著一輪新的遊戲又開始了。

二、為何叫做銷售狗？

人們常說什麼人養什麼狗。據稱，只要狗的主人帶著狗到公園裏遛一圈，就能一目瞭然了。你如果和這些很盡職的狗主人聊上幾句的話，你會發現他們和他們養的狗之間有著很多相似之處，牛頭犬的主人和牛頭犬一樣垂著下巴，而北京犬和牠的主人都長著翹翹的鼻子，不過他們之間的相似遠遠不止這些。

我不敢肯定究竟是狗染上了主人的品性，還是主人沾上了狗的習氣，可能他們各自身上都有某些「動物品性」吸引著對方。好比那些服從命令、聽從指揮的傢伙特別能吸引短毛勇猛的杜賓犬，而讓人一見就想抱抱的可愛的黃金獵犬就格外受那些老好人的喜愛。不管怎麼說吧，我敢肯定在世界的某個地方，一定有一群動物行為學家及人類行為學家們正在狂熱地搜集臨床證據，以證明上述結論的正確性。但實際上，原因如何並不十分重要。顯然，你只要對一隻狗的品種有所瞭解，那麼通常就可以對這隻狗瞭若指掌，因為每個品種的狗都有牠各自獨特的性格特徵。

推銷員、銷售經理、個體經營者、企業家或者直銷人員，如果對這些性格特徵有所瞭解，

狗跟主人天生一對

那就必定會挖掘到一大塊純金的骨頭。你如果能瞭解狗世界中的種種動態，那在獵取銷售物件時也就能具備一隻好狗的機敏與堅韌。

推銷員或者銷售經理所犯的最大的一個錯誤就是認為：有一套成功必備的性格特徵是適用於所有推銷員的。他們狂熱而盲目地去追逐這個引領銷售成功的尚方寶劍，而結果往往是踏上了一條充滿了沮喪和嫉妒的坎坷之路。

雖然努力提高自我是一種高尚的、不可或缺的追求，但是試圖模仿「完美的推銷員」那一套性格特徵卻只會徒勞無功，令人灰心喪氣。相反，我們要學會從自身的內在做起，認識並發展一個潛在的「偉大的推銷員」。推銷員和銷售經理要首先認定並瞭解自己所屬的品種，然後還要確認並瞭解周圍人所屬的品種。有了這些知識，他們就可以對自己以及他人的潛力和性格進行發掘。通過這樣的途徑，銷售經理才能適合正確的獵犬去獵取適合的獵物。

比如，在賽狗會上，你不會把自己的錢押在一隻聖伯納犬身上。但是，如果你在大山上陷入困境，凍得要死，你最想見到的會是誰？你必須把你自己、還有和你同在一個銷售團隊的成員們都放在整個銷售鏈的恰當位置上，讓他們扮演一個自己天生就能勝任的角色。

許多人會覺得把推銷員比做狗簡直是太無禮了，可我還是要說，任何一個知道如何通過沿街叫賣、推銷產品賺大錢的人，在某種程度上來說，都是一隻狗。推銷員彷彿都有這樣的品性，那就是不斷地回過頭來爭取更多的交易，而且永遠不向困難低頭。

想想看：

- 誰是人類最好的朋友？
- 你能擁有的最忠實的寵物是什麼？
- 誰能一直保護著你，死而後已？
- 哪一種動物能忍受任何非難，只為了你在牠額頭上那輕輕一撫？
- 誰能守在你身邊，與你同甘共苦？
- 在所有人都把你當成一個瘋子的時候，是誰那樣注視著你，把你奉若神明？
- 是誰那樣無條件地愛著你？
- 是誰那樣酷愛追木棍的遊戲？
- 是誰那樣喜歡循著氣味尾隨而來？
- 是誰能不顧艱難、不斷回過頭來爭取更多、更加努力？

你說得沒錯！不是狗，就是推銷員！

我有一個朋友在雪梨有一家獵人頭公司。（是的，他是一個人頭獵人！）他和他的合夥人為了爭取一張極大的石化產品訂單忙了好幾個月。他們經過了投標、展示和更多的展示。他們作出了很多讓步和調整。雖然有很多次他們遭到了拒絕，聽到人家叫他們「走開」，但是他們

做事情有一種真正的澳洲風格，絕對不會不戰自退。

有時候就連運氣也和他們作對，而即便如此，他們也還是勇往直前。在向這家公司的執行長作簡報時，他們其中一人正在一張活動掛圖前面邊演示邊講解，正講到最高潮的地方，掛圖的一個支架突然倒下了。而在掛圖倒下時，我的朋友一句話還沒說完，由於他當時就靠在掛圖上，結果也跟著倒下去了。然而他表現得非常勇敢，自始至終都沒有停口，就是平躺在地上時，他還緊緊抓著掛圖繼續滔滔不絕地陳述。他的字典中沒有「放棄」這兩個字。他就像一隻固執的狗，不願意被推到一邊，不願意被人踢開，不願意放棄那根木棍。

我的另一個朋友和那位執行長笑得氣都喘不過來了，根本沒聽到他那充滿激情的陳述。可能是他的堅韌或者是這滑稽的一幕打破了僵局，不管怎樣，當他最終站起身來的時候，那位執行長說：「好了，好了，如果你那麼想得到這份訂單的話，那我告訴你，你已經得到了！」

很簡單：推銷就是說服他人採取行動，去做一件他們起先並不十分積極去做的事情。可以說，做領袖、做父母、鼓勵和談判實際上也是同樣的道理。這些行為也都需要同樣的推銷技

巧。

狗可以成為了不起的冠軍、獵人和夥伴，然而，儘管狗如此忠誠和機敏，牠們仍然需要充分的愛護。如果你不能及時地餵食牠們、洗澡或經常地愛撫牠們，牠們就會變得頑劣、蠻橫，在你出門之後把房間搞得天翻地覆。推銷員如果沒有得到恰當的培訓，也會如此。

我最近這些年的行程安排非常緊張，所以才不得不壓抑養狗的欲望。因為這樣的生活對狗似乎不公平。然而在這本書進行到一半的時候，我四歲的兒子還是說服我養了一隻狗。這些年我總是在努力指導一群推銷員，我要是在這之前養一隻狗就好了！對這兩者的培訓幾乎是一模一樣！

狗如果接受了正規的培訓，就可以用出奇的精確性獵取獵物。不過，在牠們被訓練出來以前，你需要準備一根狗鍊，需要積攢大量的耐心，還需要買來一雙塑膠手套和一把小鏟子，跟在牠們後面清理糞便。即使是很好的狗，起初也會把四周弄得一團糟。牠們最初的熱情很難管束，但是只要管理得恰到好處，這種熱情能創造出色的銷售業績和佣金收入。

銷售狗這個概念開闢了一條獨特的路徑，它能讓你認識不同類別的推銷員。雖然它是一種培訓理念，其設計意圖是增加娛樂性，把道理講得淺顯易懂，但是這背後的概念卻非常有影響力，是在我多年的觀察研究的基礎上總結而來的。

我透過調查研究發現，銷售狗共有五個品種，此外還有無數的混種狗。我們可以拿推銷員

的性格特徵與這五個品種的狗的性格特徵作對比，這是一個很有效、很好學的方法，通過這個方法我們可以理解我們的銷售團隊，並使這個團隊得到進一步的發展，對其進行更有效的激勵。

一隻真正的銷售狗知道，教育和良好的培訓意味著滿意和鈔票。作為一隻銷售狗，你必須一直尋找機會，為自己爭取到最好的培訓，而不是最高的佣金！很多剛出道的小狗都追錯了骨頭。

我曾經任職於優利系統公司，就是因為他們的培訓在這個行業中是最好的。我有許多朋友去了全錄、ＩＢＭ、安麗這樣的公司，同樣也是因為這些公司能提供當時最好的培訓。如今，這些人都有了自己的公司，資產都超過了上百萬。只要你得到了正確的教育，那不管你走到哪裡，錢就是你的！

你很快就會學到如何確定你自己是屬於哪個品種的狗，你的窩裏還有哪些品種的狗，以及如何對那些狗進行培訓，以使他們這個品種的優良品性得到最大程度的發揮。

第一步就是確定你以及你所在團隊的成員有哪些推銷的天賦。為了節約寶貴的推銷時間，節省培訓資源，以及避免雙方的失望，你可以利用銷售狗智慧測試中的一些工具來預測你或者你這一類人的成功前景，在第一天訓練服從性之前就做到心中有數。這些測試能判斷出你是否有著正確的思維方式，是否能取得銷售上的成功。我們隨後再詳細探討這個問題。

如果你的思維方式是錯誤的，那該怎麼辦呢？和在考試中發現錯誤一樣，你可以迅速地改

正它！十分鐘的訓練就可以決定你是否有能力做推銷。你只要帶著五個技巧和四個關鍵的思維方式，就可以走上成功的推銷之路了，而且很快就會發財致富。

好消息是，幾乎所有的狗都能夠去打獵，而整個過程和程式很簡單，並且還能給機敏的狗和牠的教練帶來成千上萬的現鈔。

對那些覺得拿自己和狗作比較有辱身份的人，我要說，這樣的對比純粹是一種讚美！你時而是一名鬥士，時而是一個愛人，時而頑皮，時而沉靜。你生活在邊緣地帶，沒有時間讓你去浪費。（雖然你可能會浪費時間！）你從不會見到兩隻狗在交換電話號碼，他們只為眼前的一切而生活！

銷售充滿樂趣，節奏快，夠刺激。想想看吧，一些推銷員長得像狗，行為舉止也像狗，有時候出去了一個晚上後，他們甚至聞起來都像狗。有的在跟蹤一個目標客戶時就像一個了不起的獵手，而有的甚至能把最難捕捉的獵物也引誘出來，並加以把握。

那你到底是什麼樣的狗呢？

三、識別狗種

只要有銷售行為的地方，就可以運用銷售狗的理念。我們每天、甚至每個小時都在不停地推銷，對象包括我們的老闆、鄰居以及與我們接觸的人。「加點薪水吧？」「今晚我們看什麼電視節目？」這些問題都是在進行推銷，隨時隨地都有發生。

世界上有四百多種不同品種的狗，而在銷售世界中只有五種狗。問題是你屬於哪一種？你的老闆屬於哪一種？如果你是一個馴狗師（經理），你的窩裏有哪些品種的狗呢？如果你是一個管理層的銷售經理，在你的下屬中哪一層「吠」聲最高呢？

除了這些，還有一個問題，和你結婚的那位究竟屬於哪個品種的銷售狗呢？知道了這個問題的答案，就等於知道了如何讓事情變得對你更有利，也等於是把握住了人生幸福的鑰匙！

一旦你能夠確認人們各自是屬於哪個品種的銷售狗，那推銷遊戲就變得太簡單了，而你察言觀色、見機行事的本事也就成了你的第二本能。瞭解你自己所屬的品種能讓你立即發揮出自己的能力，達成更多的交易。另外，它還會指引你，賦予你智慧，讓你知道如何進入整個銷售圈，更別提它能帶給你一種平和的心態了，因為它會讓你很清楚地意識到，不用改變自己就可

以達到事業的頂峰！

你將看到自己在領導他人、爭取目標客戶、介紹商品和達成交易等諸多方面的行為方式都發生了變化。你要學的不是「最好的方式」，而是「對你這類人而言的最好的方式」。你還可以避免走進「推銷的死胡同」，不會陷入陌生的境地，不會處於被動不利的局面。你將把握住周圍的環境，並總是走在對你而言最平坦的道路上。

作為一隻銷售狗或是一名馴狗師，認清你的目標客戶屬於哪個品種，將賦予你特殊的優勢。在打獵的過程中，狗面對的獵物可以是鴨子、麻雀、熊、飛盤和羽毛球。對銷售狗來說，他們的獵物可以是大公司、中小企業、你的下一個發行人、高級主管和決策人事的助理。不同的狗會吸引不同的目標，而把恰當的銷售狗派出去做恰當的工作，將是你取得成功的關鍵。

要捕獲狂怒的公牛，觀賞狗顯然不是理想的選擇。而青面獠牙、口水亂噴的獵犬會把家庭主婦們嚇得魂飛魄散。你的目標是什麼，你天生的風格又是什麼呢？

作為銷售狗，有時候你對種群的選擇非常有限，完全要看哪些種群願意接受你！許多銷售狗都是在作出了一番貢獻，盡了一番職責，或經過了一番篩選後才來到自己的種群裏的。有的是被人從流浪狗收容所中解救出來，帶到種群裏來的，其原因就是有人不忍心看到窗前那隻孤獨的狗流露出的悲哀、乞求的目光。

大部分馴狗師在最初的時候都面臨著一個完整的種群。我們認養了這群銷售狗（或許有人會說是被誘入其中的）。幾乎沒有人享有自己招兵買馬的樂趣（或者也沒有這個耐心），白手

起家地建設個銷售團隊。

一隻銷售狗在被雇用之前很少接受過調查、測試、面試和評估，即使他們真的有過這種難得的經歷，其結果也未必能說明什麼問題。有的銷售狗就是擅長做測試題目，擅長在評委面前作秀。只看他們在面試中的表現，你會以為自己引誘到了一隻頭等的獵犬，但到了拉出去真槍實彈地操練起來時，你才會意識到你得到的不過是一隻沒用的衰狗。

你第一次走進來的時候，不妨觀察一下院子裏四處遊蕩的這些銷售狗。你會發現這些狗當中有的自得其樂，也有的痛苦不堪，苦苦等待著能有人扔過來一根骨頭。其中有相當大的一部分會蜷縮在角落裏，等待著有什麼好事從天而降。還有的公然黏著你，乞求你撫摸一下他們的腦袋，並且再給他們一次機會。

不管怎樣，你要想有所作為，不必非得要清理門戶。如果你瞭解各個品種的銷售狗的特性，你就可以讓手下這支團隊的狩獵能力提升。是的，你甚至可以讓那隻似乎已經喪失了嗅覺的老巴吉度獵犬重振神威，變成一隻純種狗。

雖然每一種純種銷售狗都有其獨特的一面，但是他們確實也有著某些相似之處。他們大多數是很優秀的夥伴，每一隻銷售狗都有自己特殊的本領，能讓人覺得和他們相處的時光非常愉快。有的之所以讓人喜歡，是因為和他們在一起你會立刻放鬆下來，而有的則歸功於他們無窮無盡的旺盛精力。有時候銷售狗會惹人生厭，當他們對著月亮大聲嚎叫以示他們的得意、悲哀或渴望時，尤其讓人反感。好在，你只要很輕巧地扔過去一隻鞋子，問題通常就能夠擺平了！

銷售狗都有很好的交友能力。在這個世界上，幾乎沒有什麼人是他們不願意見到的，不過這可不包括其他的銷售狗（這是個領地問題）。犬類天生的嗅覺本領能讓他們在普通人想都想不到的地方找到生意可做。他們會追蹤，會聞，會舔，會跑，會叫，會哀鳴，會大喊，還會懇求。他們還能在你需要他們的時候成為你最忠實的朋友。

在銷售狗的世界裏只有五個純種：比特狗、黃金獵犬、貴賓犬、吉娃娃和巴吉度獵犬。不過還有一大批雜交品種。那你屬於哪個品種呢？接著讀下去，看看每個品種都有著怎樣的性格特徵。

比特狗

最好鬥、可能也是大家印象中推銷員最典型的形象代言就是比特狗。是的，你很瞭解他們：任何事物哪怕有一點點「潛在目標」的氣息，就會立刻遭到他們的攻擊。而且他們的攻擊是兇猛的，是勇往直前、堅韌不拔的，讓人既敬畏又懼怕。只要你有個褲管，他們就會牢牢咬住，而且絕不鬆口。整個過程從頭到尾都成了一場咆哮著的惡戰，水槍、棍棒甚至催淚瓦斯都不能讓他在面對目標時表現出任何的畏縮。

如果想描述這種銷售狗的獨特叫聲，那場景就應該設置在你半夜回家的路上，周圍是一條條通往城市縱深處的幽暗、骯髒的小巷。而那聲音是一種低沉、陰毒的「咕嚕嚕嚕」聲，從黑暗中傳來，迴盪在垃圾箱四周，你突然瞥到了一對黃色的眼睛，專注而兇狠，那是發起攻擊之

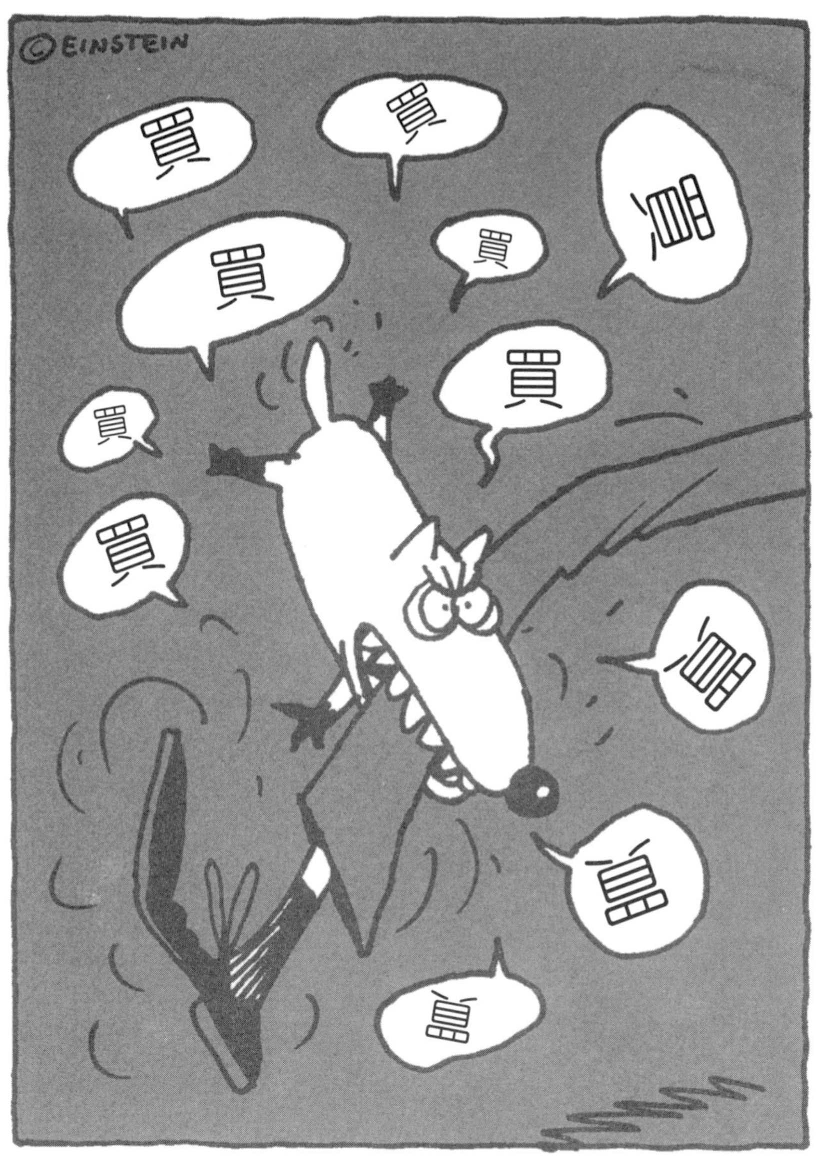
©EINSTEIN
買
買
買
買
買
買
買
買
買
買
買

前的蓄勢待發。這就是比特狗，而你就是他的晚餐！

我有一個朋友叫約翰，住在加拿大，他那個地區是商務機器銷售競爭相當白熱化的一個戰場。多年前，我們駕車在多倫多城外行駛，途中經過一個剛剛被龍捲風肆虐過的小鎮。房屋都被颶風撕成了碎片，汽車和卡車像玩具一樣翻在一邊，樹木斷裂成一塊塊的，一眼望去到處是斷壁殘垣。我當時真為那些可憐的災民們感到難過，而我的朋友約翰當時正在開車，他只是皮笑肉不笑地低聲說道：「看見了嗎?凡是對我說『不』的人最後就是這樣的下場！」他正是一隻比特狗。

如果一隻比特狗身上帶著一支手機（這手機經常會丟掉或者沒電），那它唯一的用途就是能保證他駕車從A地趕到B地時和最多的獵物取得聯繫。

你必須不停地把肉扔給比特狗，但是沒必要請他們吃大排骨！讓排骨在他們眼前不斷晃動，鞭打他們直到他們狂暴起來，然後再把他們放到市場上去。他們肯定會有所收穫的。不過，有一點可以肯定，你會從驚恐萬分的目標客戶和鄰居，甚至還有有關當局那裏接到很多電話，要你管好這隻猛獸，讓他接受法律的懲治。不要派他們前往雞尾酒會，除非你給他們戴上頭套、套上緊箍圈、備好鎮靜劑。再想想，不如把他們派到酒館去……別去雞尾酒會。在訓練一隻比特狗的時候，有兩樣工具是必不可少的：一份生肉和一把電擊棒。

比特狗的成功完全來自於他的力量和無畏的精神。他會做大量的行銷，吃很多的閉門羹，然後不斷地推銷更多的產品，任何一種銷售狗都無法和他相比，甚至在他真的應該退卻的時

候，他也堅持不懈。困難對他們而言不過是一通激發熱情的警鈴。對這個冠軍狗來說，處理閉門羹簡直是小事一件。

不過，你要小心看護他們的領地。他們雖然具有進攻性，但是可能會缺乏技巧和策略。比特狗會非常富有，不然就是非常潦倒，而關鍵就在於培訓。

黃金獵犬

下一個品種是人見人愛的黃金獵犬。這些熱情友好、含情脈脈、毛絨絨的可愛的傢伙們可以為寵愛他們的人做任何事情。他們可以跳進冰冷的河裏去拾起腐爛的木棍，也可以為你兒子的壘球隊打中鋒，是的，廣告上還說他們甚至可以從冰箱裏給你找出一瓶啤酒。

他們就是畢恭畢敬地坐在那裏、滿臉堆笑、時刻恭候著目標客戶的一聲吩咐、隨叫隨到的推銷員。他們可以保持永遠樂觀的姿態坐在那裏，等待電話鈴聲響起，期望著目標客戶仍然偏愛著自己。他們贏得客戶的辦法就是不管客戶扔過來的是什麼，他們都會跑去追逐。

他們可以把客戶扔出去的所有球都咬回來，他們可以幫客戶做任何事情，他們還可以來個後滾翻來取悅客戶。如果你一開口就是「推銷」之類的話，他們會覺得受到了冒犯。對黃金獵犬來說，客戶服務才是一切。他們行為背後的信念就是你給客戶的越多，他們就會越喜愛你，最後從你這裏購買的也就會越多。事實上，他們是在乞討，乞討為顧客服務的機會。

我有一個非常好的朋友在丹佛從事房地產。她是一個非常睿智的推銷員，敏銳、坦率、戰

無不勝。我問她做個出色推銷員的訣竅是什麼，她在我眼前進行了一次即興表演。她轉過頭來，用棕色的、水汪汪的大眼睛看著我，接著開始用一種溫柔平緩的語氣對我娓娓道來。她的聲音讓我一下子聯想到黃金獵犬向著你仰頭低喃、乞求你愛撫時的那種聲音。她說得很簡單：「他們要什麼，你就給什麼！」

比特狗那種「鎖定目標，然後徹底摧毀」的戰略讓她十分震驚。她堅信只要你對客戶夠好，而且能夠持續和他們保持聯絡，那麼你的電話鈴聲就會響個不停。她甚至無法想像還有其他的銷售方式，也不認為自己應該去考慮其他方式，這個方式就很管用！

黃金獵犬總是開著自己的手機，電池充得滿滿的，一天二十四小時不關機。他們甚至還會準備備用電池，也充好電放在手邊以防萬一。在黃金獵犬看來，客戶在有需要的時候卻聯繫不上他們，對他們自己而言絕對是一件不可饒恕的事情。

黃金獵犬是透過提供超級客戶服務來進行推銷的。（不過要時時提醒他們，讓他們記得自己的真正目的是賣東西！）聰明的黃金獵犬都很成功，因為他們知道，只要自己堅持照顧好目標客戶、老客戶，還有他們所在團隊的成員，那他們賺到的錢數就會直線上升。他們對長期服務的重視為他們取得成功奠定了基礎。

貴賓犬

貴賓犬則是一種更複雜的銷售層面。牠們有著極高的智商，有點過於敏感，對保持「非凡的外表和形象」十分內行。

這些推銷員總是讓自己生活在一個摩登且講求品味的世界裏，不管這所謂的摩登與品味是出於他們對客觀現實的洞察，還是完全出自於他們自己的主觀臆測。他們評價書的時候以封面來論好壞，判斷目標客戶的價值時則以對方的愛車來論貴賤。他們在購物商場裏花的時間比他們在辦公桌前花的時間還要多。

他們身穿義大利套裝，腳蹬軟皮黑面的鞋子或細高跟鞋，打著價值兩百美元一條的領帶，或戴著昂貴的珠寶，開的車也都是泊車小弟非常樂意為之停靠的高級車。

雖然他們並非總能負擔得起這樣的奢華生活，但是他們把所有這些採購都視為生意場上必備的投資。貴賓犬寧願趕緊打電話請病假，也不願意搭公車上班，或是在髮型淩亂的情況下外出露面。

貴賓犬走起路來總是昂首闊步的，其他的狗在巡視領地時都是腳步凝重，不然就是蹦蹦跳跳或左搖右擺，而貴賓犬卻是昂首闊步，明亮的眼睛偶爾在你身上一掃而過，目光中毫不掩飾他對閣下品味的判斷。他們的消息無比靈通，他們的人際關係網路很可能比任何一種銷售狗都全面、都徹底。他們知道誰是誰，而且他們想讓你也知道！

大部分狗都是叫來叫去的，而貴賓犬則言談優雅，舉止尊貴。在和其他狗或是和目標客戶的聚會上，你總是會在高腳杯相碰的叮噹聲中看到貴賓犬在那裏殷勤地與人交流著，言談中必定會出現出機敏、睿智的火花，其中不乏冷幽默。他們非常喜歡在公眾面前談天說地，喜歡成為眾人關注的焦點。事實上，貴賓犬的推銷通常都是這樣的華麗風格，就算有時他們的推銷詞沒有提供任何切實的資訊，聽上去也能讓人產生如夢似幻的感覺。

貴賓犬行色匆匆，他們的生活節奏非常之快。最新的流行趨勢、最新款的小配件、最熱鬧的派對都是貴賓犬生活格調中的一部分。如果一個目標客戶很在急外表和第一印象，那貴賓犬就是能贏得歡心的獵犬。

這個品種的銷售狗總是在不斷尋找最簡便的方式和最大多數的人建立聯繫。貴賓犬是超級市場行銷狗，他們的市場行銷能力和闡述資訊的能力使他們賺得荷包滿滿。

貴賓犬非常擅長推銷價格昂貴的東西，他們能夠運用自己帝王般的品味給客戶留下極其深刻的印象。只是別讓他們去救一隻落水的鴨子，別讓他們跳入冰冷的河裏，別把他們派往市鎮污濁的街區，別讓他們困在一條幽暗的小巷子裏！在更「文明」一點的圈子裏，他們交際起來

才能遊刃有餘。

貴賓犬在接受培訓時有很好的領悟能力，而且他們對吸引眾人的注意力有著天生的渴望，所以幾個世紀以來，貴賓犬一直是馬戲團的寵兒。作為銷售狗的貴賓犬在派對中和促膝閒談間同樣也是個靈魂人物。他們中學畢業時就已經被冠上了「最具魅力」或「最受歡迎」的稱號。他們當中的某些人甚至通過一番努力，被認為是「最有希望獲得成功」的人。

我在圖森有個朋友，在全國各地的銷售人員休養中心，我都會看到他的身影。他開著一輛保時捷 **911 Targa**，在球場邊緣區給他最好的客戶訂位子，觀看鳳凰陽光籃球賽，穿的是當季推出的新款 **Zegna** 套裝，還號稱有一群女人在如癡如狂地追求自己。（事實證明這完全是誇大其詞，貴賓犬常常這樣。）

雖然第一天晚上一夜都沒闔眼，而且還醉意朦朧的，可他還是能昂首闊步地走進分公司，言行舉止看上去無可挑剔。目標客戶都很喜歡他，也很願意和他交往。而對他來說，他手頭上從來沒有缺過客戶。他總是能同時處理上百個企劃案，而這

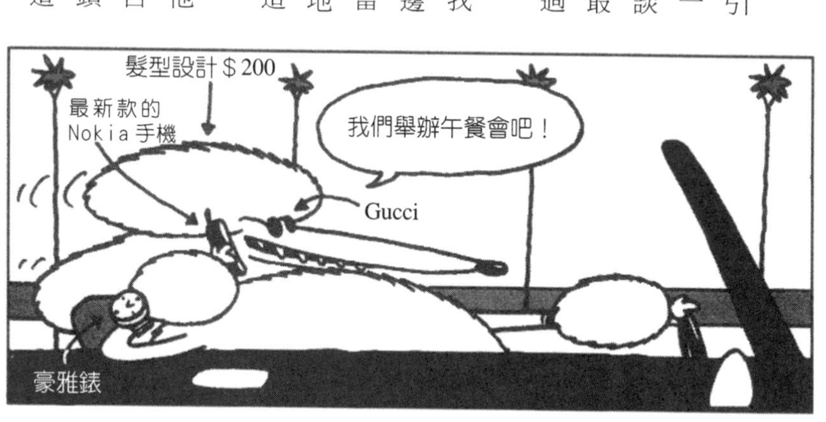

些企劃會很巧妙地把大把大把的美金收進他的窩裏。

這傢伙認為自己是個傳奇人物，他說服別人的口才也相當好。有一次，在芝加哥的一次銷售會議上，他說服我和他一起去鎮上共度「難忘的一夜」。我心裏明白得很，但還是去了。

那的確是難忘的一夜。我光買酒就花了好幾張百元大鈔，第二天早上好容易才趕回會場。我看上去失魂落魄的，而他看上去就好像是從電影中走出來的詹姆士・龐德一樣。如果他是007，那我就是克盧梭檢察官。

貴賓犬天生就是手機不離身的。他們靠手機及時瞭解「新聞」。另外，在貴賓犬看來，耳邊總是貼著手機可算是一個重要的成功標誌。

吉娃娃

吉娃娃給銷售狗的狗舍裏新增了一個全新的空間。這個品種的銷售狗對銷售所作出的貢獻絕對不可低估。不管怎樣，你可不要被他們的小個頭所矇蔽。

這些銷售狗通常是精得出奇。這些小精靈們非常受主人的寵愛。他們是專業的魔術師，而且很可能也是所有銷售狗當中最具熱情的一種。

當吉娃娃銷售狗興奮時必須特別注意，因為一旦失去控制，他們會講個沒完，而且那尖尖的聲音任誰聽多了都會頭痛。這些銷售狗看上去就像是服用了太多的興奮劑和咖啡因，彷彿一輛失控的卡車在飛馳前行。

吉娃娃常常會激動萬分，原因很簡單，他們的身體那麼小，可是腦子裏的想法又那麼多。他們可不是寵物狗的上上之選，他們很少蜷縮在人的腿上，舔人的技巧也不行，可是他們的激情、對產品的認識，以及對整個程式的理解都是絕無僅有的。

這些上了發條的、超級活躍的傢伙們在學習知識上不遺餘力。他們那大大的眼睛就能告訴你，他們對調查研究是何等狂熱。吉娃娃熬夜的本事是其他任何一種銷售狗都比不上的。當狗窩中其他的狗都蜷在那裏睡著了的時候，吉娃娃還在一個個網站之間留連，在一頁頁年度報告之間埋頭搜索，整理出足夠多的資料、資料和資訊，以便在答辯時做到應對自如。

其他一些品種的銷售狗可能需要通過體育鍛鍊來保持健康的狀態，而吉娃娃需要的是腦力鍛鍊。他們的腦力讓人歎為觀止。

順便提一句，不要犯這樣的錯誤：讓吉娃娃去處理一個他們很熱衷的專題。他們會無休止地做下去。事實上，他們不會說說則已，他們會大喊大叫，激情萬分地叫囂著，一分鐘就能衝很遠。客戶別無他法，他們會被吉娃娃展現出的驚人的激情、知識和一大堆無懈可擊的資料、佐證徹底擊倒。甚至有的時候，他們連吉娃娃說的是什麼都還不知道就繳械投降了！

很多年前，在優利系統公司，我和一個名叫布萊恩的人交朋友，他就是一隻吉娃娃。只要你幫他準備好披薩和可樂這些燃料補給，他就能馬不停蹄地做任何調查。當時我和他一起幫一個客戶準備電腦展示，這件事的整個過程我至今都記憶猶新。我在晚上十點鐘分抽身而退，自己回家了。而布萊恩的精神頭卻正值高峰，他做了整整一夜，甚至還發現了程式中的幾個新特

網際網路
深夜
$
事實
數據
競爭力
分析
¥
瑣碎訊息
給我
更多的數
據，大量的
市場調查，
好耶！
高度亢奮
大量的咖啡
PIZZA
©EINSTEIN

點，連研發人員都不知道該程式還可以這樣操作呢。

第二天上午在展示現場，（我們開始之前，他只是到洗手間刷了刷牙。）客戶的技術助理都看得眼花繚亂了，（這也是一隻吉娃娃，一隻戴著眼鏡的吉娃娃。）他把位元組、快取記憶體和技術上雜七雜八的武器一股腦兒地用上去，集中火力猛攻。他講解起來是又響又快，那個決策者和我都被他搞暈了，頭都疼了。最後我們跑出去喝咖啡，留下那兩個吉娃娃繼續在那裏喋喋不休。兩個小時過去了，他們兩個還在那裏說個沒完。這場瘋狂的資料和技術知識交流的最終結果是，我們的吉娃娃給他們留下了深刻的印象，讓他們對我們的能力具備了足夠的信心。

比特狗可以保證最初與客戶確立聯繫，貴賓犬可以讓客戶在瞬間就留下完美的印象，而證明實力的任務則非吉娃娃莫屬了。有一家公司是我所見過的最最成功的海外地產公司之一，公司創始人的經歷是一個真正的成功典範。他的員工都發誓說他是一隻道道地地的吉娃娃。他的智商絕對是數一數二的。他對市場的裏裏外外都瞭若指掌，而且充滿熱情。在最近一次和五百位代理商會晤的銷售會議上，他走上講臺，準備做一個五分鐘的簡報。三十分鐘過去了，他還在滔滔不絕，陶醉在激情之中，讓滿屋子的人都目瞪口呆。

他似乎連氣都不喘，當他終於說完時，屋子裏靜得連掉根針都能聽得見。我說不出來他講了些什麼，因為他講得太快、太激動了，但是我完全被振奮起來了。他讓人熱情澎湃！

如果你的員工中有吉娃娃，那你可要小心了，他們非常聰明，但是可能是咖啡因加上缺乏睡眠的緣故，如果你處理不當，他們有時非常情緒化，會變得很偏執。在他們的詞典裏沒有「世故」這個詞。在其他的狗買進最新的體育器材或趕時髦時，吉娃娃買的幾乎總是最新的電子設備，比如一部無線筆記型電腦，這樣他們就可以隨時隨地處理大量的資料了。

我個人從來不喜歡抱著一隻吉娃娃的感覺。但是我很尊重他們，並且很清楚，他們對比較複雜的銷售圈來說，絕對是一員必不可少的大將。

巴吉度獵犬

經典之中的經典是忠誠的老巴吉度獵犬。皺著額頭、垂著耳朵的巴吉度很少抗拒別人。作為銷售狗的巴吉度如果長相不像巴吉度，至少慢條斯理的性格和巴吉度十分酷似。這個夥伴的眼神會說話，牠會和你同甘共苦。你可以試著趕牠走、罵牠、打牠，而牠頂多是轉個圈，默默地承受這一切。幾分鐘過後，牠會畏縮著回來，用淚汪汪的眼睛看著你，乞求原諒。巴吉度從不會嫌你煩，從不會覺得你給牠施加壓力，牠們的感情持久不變，非常可靠。

我如此戲謔巴吉度，是因為我覺得自己和這個品種的狗最接近。這種銷售狗看上去沒多少貴族品位，而且也很少表現出激情或自信，但是在所有的狗類當中，牠們可以只憑性格魅力和友善就與他人建立起牢固、忠誠、長期的人際關係。

這個品種的狗很少花費額外的精力去做事情。巴吉度獵犬不常叫，但是牠們常常會發出嗚

嗚聲和嚎啕聲，在牠們乞求時尤其如此，而這正是牠們的特長！

巴吉度獵犬不管年齡多大，看上去都像中年人一樣。鍛鍊對他們來說太消耗體力了，所以他們柔軟的身體常常是蜷縮在那裏。他們在所有的狗類中是最不講究穿著打扮的，因為他們既沒有時間、也沒

有這個心思去關注流行趨勢。

他們的車裏和辦公桌上四處可見隨手放在那裏的一切廢棄物：舊的商業名片和破舊的皮帶。這種銷售狗總是在尋找骨頭，但哪怕你賞賜他一些掉在桌子上的、小得不能再小的剩飯殘渣，他也會開心得很。在推銷的時候，他們有一種天生的卑微，有時候還有些卑躬屈膝，這種天生的氣質似乎就是為了把一支憐憫的箭直射入你的內心深處。如果他那哀傷的眼神和乞求的話語沒有打動你……你要小心了！你很可能會面臨他的B計畫，他們裝滿了家人照片的錢包會掉出來，然後你會聽到一連串關於吊帶褲、自行車和未結帳單的故事。他們會不遺餘力地爭取一絲絲的同情。

巴吉度那種堅韌不拔的拼勁只有比特狗可以與之一較高下，堅持不懈是他們天生的強項。他們從不會被拒絕嚇退，不會因為你不接電話或摔門而去而退縮。這種狗是不知道放棄的。他們堅持、糾纏、哄騙乃至乞求的本事出神入化，這種打破堅冰的能力為他們贏得了很大的名聲。「好吧，好吧！只要你從我背上下來，一切好說。」客戶大叫著：「你要我在哪裡簽字？」

巴吉度獵犬在遭遇不幸時，會公然號啕著追問為什麼世界待他們如此不公，他們從不會羞於發洩。可能有時候，你在拐角處一見到他們朝你走來就想逃跑，可是千萬別誤會，巴吉度獵犬可是你非常強大的盟友。他們對主人非常忠誠，對目標客戶和老顧客也是如此。這種和善和值得信賴的作風可以讓巴吉度獵犬日積月累地賺到大量的金錢。

別指望貴賓犬會和他們混在一起，就連和巴吉度同時出現在公眾場合都會讓貴賓犬感到有損自己的形象。

至於手機，巴吉度獵犬會對你說他們根本就買不起。接著你會聽他們說起孩子、夏令營開銷、城市犯罪、芭蕾課程還有舊得沒法發動的汽車……

別看巴吉度獵犬整天一副故作可憐的模樣，他們追蹤和狩獵的本事可是讓人歎為觀止。他們聲名遠播，即使在地形崎嶇的地帶，哪怕是幾英里以外最淡薄的氣味也別想逃過他們的鼻子。

巴吉度這種超級的追蹤本領，再加上那種「直視對方眼睛」的行事風格，使他們成了狗窩中珍貴的成員。永遠不要低估了外表可憐兮兮的巴吉度銷售狗。他們擁有超人的能力，能夠嗅到訂單，還能在其他銷售狗都無能為力的情況下贏得客戶的心。

四、看家狗

接下來是看家狗！

在銷售狗的世界裏，有一種特殊的狗，這種狗在狗窩中逡巡著，聲勢驚人。看家狗不是一個品種，而是一種意識！一個大訂單就足以打造一隻看家狗。

想像一下，若是約翰韋恩或克林伊斯威特長出四隻爪子和一條尾巴，是一副什麼樣子，你就會知道看家狗是個什麼樣子了。看家狗是一個驕傲自大的賭徒，自認為是個傳奇人物。不過，也正是這樣的勇氣和這種徹頭徹尾的自信，讓看家狗能夠在非常枯燥的工作時間裏保持活躍的狀態，而他們的工作期可能會非常非常枯燥和漫長。其他的狗可能靠點殘羹剩飯就能過下去，而看家狗只吃大排骨。他哪怕就快餓死了，也不會迫不及待地圍著一個倒垃圾的人團團轉。

看家狗只有在舞臺相當大、燈光相當耀眼、四周人潮相當鼎沸的情況下才會出手。他們不會考慮跨級推銷，除非他們可以從最高層人士那裏下手，因為他們的時間只能花在那些主要決策人員的身上。他們會輕而易舉地繞過人事助理，還有辦法讓哪怕最忙的目標客戶及時回覆他

們的電話。

看家狗要獵取的不是麻雀和野雞，他們的眼睛總是緊盯著八百磅的大灰熊。他們可能需要花費一定的時間才能追蹤到一隻灰熊，但是一旦發現目標，他們就會卓有成效地將其誘捕到手，這是看家狗的看家本事。爭鬥越是血腥，故事就越是引人入勝，而這故事就越有可能被有聲有色地、一遍遍地講給那些對他們無比敬畏的小狗們聽！

我有個朋友就是看家狗，一次我問他透過仲介機構來做推銷、並在推銷過程中達成共識是否相當重要，他嗤嗤地笑了笑，低聲吼道：「那完全是浪費時間。找出『關鍵人物』，安排會談，成交！」這就是他的策略。我可以告訴你，他的座右銘就是：就算你要摔下去，也要摔得驚天動地！就算破產了，也不能在一幢公寓裏破產！

看家狗總是有意識地在創造自己的傳奇，他們不斷努力，為自己的征戰故事再添新頁。故事被複述時難免有加油添醋的情況，而他們也從不為此臉紅。事實上，如果舉辦一屆吹牛奧林匹克競賽，看家狗絕對可以代表自己的國家參賽。

看家狗對維持長期的銷售關係缺乏耐心。他們是終結者，只在筆已經準備好了、墨水準備充足了、客戶已經將注意力集中過來了的時候，才會披掛上陣。

偉大的勝利使他們可以沐浴在陽光之中，他們會花費大量的時間在那裏曬日光浴。至於慘重的失敗，你別指望看家狗會道歉，因為在他們眼中，這些都不太可能是他們的過錯。他們會說管理階層太愚蠢了，根本不能理解他們的意圖，而他們下屬又太無能了，根本無法實施他們

的戰略。

看家狗的問題是太喜歡吹牛和天性過於兇猛，這兩者會導致重大的錯誤，比如錯誤的產品資訊。他們會向目標客戶保證，只要購買一款藝術級的電腦系統，就會配送一台聲控的咖啡機和厚墊防寒靴，結果承諾無法兌現，客戶徹底失望了，而產品開發部門也大為光火。

對看家狗來說，不是大訂單，就是沒訂單，而這種意識也會導致大錯。你讓看家狗去找份報紙，而他們回來時可能是兩手空空！

不過，雖然窩裏養條看家狗需要準備一個巨大的鏟子和用不完的塑膠手套，你還是不願意趕他走。就算有時候他惹的麻煩和製造的噪音讓人無法忍受，你仍然會相信「他還是會獲勝的」。他幾乎不聽管束，開會很少露面，就算來了也總是遲到。他永遠都是大家注意的焦點，可以用他那輕鬆的舉止、引人入勝的故事和超凡的領導魅力讓一屋子人都言聽計從。

一個高超的馴狗師可以在狗還沒成熟之前，就發現哪些狗可能發展為看家狗。有時候，他們的眼神、走路的姿勢，或者他們那比別人更加自信的叫聲，都能讓馴狗師窺出端倪。

長大以後，他們變得非常驕傲自大，而他們的學習表現也時好時壞，為學習付出的代價十分昂貴。當他們完全成熟後，就會成為銷售經理、公司高級管理人員或企業家。在跨級別市場行銷中，看家狗可以接手非常成熟的銷售關係，不過他們絕不會從基層做起，親自打造這樣的銷售關係。

如果在早期接受了良好的培訓，他們可以發展成銷售狗當中的超級高手，但是馴狗師們必

須一直保持警覺。看家狗從不會甘心處在基層，他們想找到捷徑，讓自己一步登天。他們想讓你使他們賺大錢。

他們還能嗅出來誰能給他們帶來權力，察覺到和哪些狗混在一起最有好處。他們不喜歡權威，一隻小狗幾乎沒有機會指揮看家狗。他們無法忍受尖叫聲。他們會堅持要一間視線好的辦公室，要鄉村俱樂部的會員身分，還要一張白金消費卡。他們想當老闆，想掌握當老闆的最佳捷徑。

雖然個別品種的狗也許更有可能成為看家狗，但總結來說，看家狗可以來自各個品種。一張大訂單就可以造就一隻看家狗，而一旦你成長為一隻看家狗，就再也不會回到從前了。

看家狗發起攻擊時可以非常惡毒。對這些傢伙來說，所有的遊戲都是公平的，而上帝只會照顧那些有領地意識的經理人。他們狂熱地掠奪、搶劫，而驚懼萬分的目標客戶和心驚膽戰、目瞪口呆的顧客只能在一邊眼睜睜地看著自己被搶掠而無能為力。他們肯定會把肉帶回家，但同時也會把豬圈洗劫一空。

許多貴賓犬一進狗窩時就開始朝著看家狗的方向努力。他們努力獲取榮耀，吸引別人的注意，追名逐利，而這些都是看家狗所追求的。他們的形象已經很好了，已經有那種吸引人的眼神了，但他們的最終目的是能夠保持良好的形象！

黃金獵犬可以成為高效率的看家狗，但是一眼望去，你恐怕很難看出他們的潛力何在。他們擁有足夠的信心和能力，但卻不會馬上在你面前展示！一旦成為看家狗，黃金獵犬不僅能拿

下大訂單，而且他們對服務的那種出神入化的投入還能讓交易保持很長一段時間。對黃金獵犬來說，大訂單來得不是特別容易，因為他們關心的不止是銷售，還有客戶的利益。他們的銷售計畫大多需要大量的後備資源，都要付出大量的時間和耐心。但是一旦成功，黃金獵犬看家狗對客戶關係的注重就可以為他們贏得頭彩，讓他們在相當長的時間裏都沐浴在陽光之中。

巴吉度看家狗在實施或遵循銷售計畫上不算高手，但是談到吸引客戶以及與客戶建立和諧的關係，那巴吉度看家狗絕對是一流的高手。他們可以踮起腳來，跟在任何一個執行長後面亦步亦趨，直到贏得他們的心和信任，以及他們在金錢上的承諾，這種強有力的、神秘的誘導方式也是只有看家狗才有的本事。

還有一點是所有的看家狗都具備的：他們的心胸都很寬大。（雖然比特狗和吉娃娃常常很難表現出如此寬闊的心胸。）看家狗很喜歡把地方的同類或小狗掩護在自己的羽翼之下，保護弱小，愛護朋友，做人家的哥們。在你需要幫助或被逼入絕境時，看家狗就會出現在你面前。看家狗是一個真正的英雄，他們會至死不渝地愛你。前一分鐘還給你惹麻煩，而後一分鐘就會獨自擔當起保護一群小狗的重任。

事實上，每一個普通品種的銷售狗的業績大多都會超出混種的看家狗，這純粹是因為前者的業績是通過個人日積月累的努力得來的。但是當一筆大生意出現時，你會需要一隻看家狗來最終敲定這筆交易。

如果你手下有看家狗，你會發現自己對他們又愛又恨。你必須對他們另眼相待，而當你真這麼做的時候，會立即聽到狗窩裏其他狗的抗議聲。

是的，看家狗真的讓人痛苦不堪。但是一旦他們把那筆大買賣做成了，你在開香檳、點雪茄時又會覺得，他們不斷給你製造的那些麻煩，其實也算不上是什麼大不了的事情。

五、找對獵物，找對狗

我最初從事推銷業務的時候，曾就職於優利系統公司。當時，優利是家著名的電腦及計算機製造廠家。我當時剛到公司，在檀香山分部的正規銷售圈子裏還是一個新手。我的上司也就是當時的部門經理，一直是非常成功的銷售代表。他是一隻看家狗。

不僅如此，他還是一隻比特看家狗。

我的這個經理是一名世界級的推銷員，他拿的佣金比誰都多，在比特狗的高級圈子裏深受敬重。他打造成功機構的模式很簡單，就是培養和他一樣的銷售機器。他試圖把每一個人都強行塞入他的模子裏，強迫他們接納他的那一套習慣和策略，在目標客戶毫無準備的情況下進行行銷轟炸，整個攻擊過程的速度快如閃電，而客戶關係總是水深火熱，他全部的工作重心都放在新的銷售專案上，而不是維護原有的客戶關係。「這不過是個數字遊戲，」他總是咆哮著：「不管成不成功，去做就對了！」

一旦他對某個銷售項目失去了信心，他不會再浪費一點時間。對他來說，世界上只有兩個詞值得關心：「行」與「不行」，其他任何介於兩者之間的答覆都會被他視為「不行」，而說

出這種話的目標客戶也會被他當做糟粕拋在一邊，接著他會馬上轉移，盯住名單上的下一個目標客戶不放。

而一旦他得到的回答是「行」，他會立即扼住對方的咽喉，每一次都緊逼不放，直到對方被迫交出所有的東西。他這種進攻型的風格在聚斂財富上非常見效，但是對他身後留下的破壞性後果，他卻絲毫不感到愧疚。

他為自己贏得了威望，使自己成了一隻超級的比特狗，於是他決心證明自己的這些策略也能夠運用到管理層上。可是，這些策略雖然給他這隻銷售狗帶來了巨大的成功，最終也給他這個馴狗師帶來了慘痛的失敗。

問題就在於，他認為他的方式就是唯一的方式。而事實上，他的方式不過是一種方式而已。

你不能改變某個人最基本、最主要的天性，那是他們的精華和靈魂所在。同樣，也正是因為如此，我們每一個人才有自己的那種獨特性。你就是無法把某一個人變成一個完全和他們本人不相關的樣子。即使你大吼大叫，即使你開出天價，也無法改變這一點！

而固執己見的結果就是，推行這種失敗的複製方式只會使整個銷售隊伍灰心喪氣，情緒低落，往往會被徹底摧垮。接著，就會出現大幅度的員工調整，而且每個人的業績都不佳，只有少數純種的比特狗除外，這是典型的八十二十定律。幾個星期以後，我也開始瀏覽報刊上的廣告，準備找份新工作，同時不停地算計著怎麼才能負擔自己的房租。

過了好長時間，才新來了一名銷售經理。他的名字叫史蒂夫，又是一隻看家狗，不過他的策略完全不同。他的風格與我的第一任經理完全相反。他是一隻黃金獵犬看家狗，一種罕見而絕妙的動物。

我還記得他召開的第一次銷售會議。他笨拙地走進那間燈光幽暗的會議室，至今一想起那個房間，我還覺得自己彷彿置身於一個洞穴之中。而當時這個洞裏蹲著一群焦慮不安的銷售代表，我就是其中的一個。

我們剛剛從一隻非常有敵意的比特看家狗手下撿了一條命，在他不遺餘力的攻擊下，我們的信心和耐心都被壓到了最低點。許多人只剩一隻腳還踏在這條船上，另一隻都已經伸出去了，但是我們大部分人還都是一些初出茅廬的小狗，敏感、焦慮，雖然我們很餓、很焦躁，但仍渴望做出一點成績。

房間裏一片唧唧喳喳的吵鬧聲，但史蒂夫一走進門來，四周就頓時安靜了下來。很顯然，他是隻名副其實的看家狗。雖然剛到這個部門，他卻很渴望把自己的計畫展示給大家，告訴大家，他打算如何把這個表現平庸的區域變成一個真正不同凡響的銷售領地。

我們對他的話感興趣嗎？幾乎沒有。我從起初的那段日子裏已經學得夠多的了。在史蒂夫開始宣佈銷售人員的領地變更時，我真切地感受到了自己那種狗一樣的心理傾向。如果有人對狗和推銷員之間的相關關係心存懷疑，我想你不妨回憶一下，你最近一次所經歷的領地變動或佣金變動，或者你在遊戲進行到一半時遭遇的規則變化。

我還清楚地記得那次會議上的咆哮聲和尖吠聲。抗議聲、喃喃不平聲持續了好幾天，在飲水機周圍或是在咖啡間裏，這些聲音的頻率往往會高到讓人狂躁的地步。

但是抗議和吼叫都沒有嚇倒我們新來的經理。史蒂夫這個傢伙是個大塊頭，總是咧著大嘴笑呵呵的，說起話來也是個大嗓門。他就像是聖伯納犬，強壯而友好，但一旦激動起來也會變得尖酸惡毒。

在你恰好水斷糧絕、在世上找不到溫暖、也找不到一個朋友的時候，他就會出現在你眼前。接著他會給你一種重燃生命的能量，讓你從困境中、從暴風雨中走出來。不管你身在何處，他都能夠找到你的蹤跡，（他確實做到了！）而且似乎能夠承擔任何負重。他還是培訓理念的大力支持者，而我的第一個經理則很排斥培訓。

他在那次會議之後所採取的行動是最為重要的。他和我們每一個人都逐個坐下來談話，瞭解我們，瞭解我們的習慣和社會生活，瞭解我們的個性和愛好。我記得他當時好像更多時間在聆聽，而不是滔滔不絕地發表言論。在每一次會談後，他都為我們每一個人制定出具體的任務，個人之間的任務會略有不同。有的代表立刻被派去做行銷，有的只是去和現有的客戶談話，還有的去做競爭對手的調研工作，而另一些被派去和服務技師加強聯繫。

他讓比特狗們去做行銷，讓黃金獵犬去做客戶服務，讓吉娃娃去做市場研究，而讓貴賓犬去吸引關鍵的目標客戶，同時讓巴吉度狗去跟一些最大的客戶做公關，鞏固彼此之間的合作關係。

他驗明狗窩中各個品種的狗，然後把他們派往他們能夠勝任的地方。但是史蒂夫並沒有就此打住，他又往前邁出了一步。

他努力讓我們進步，個人進步加上集體進步，讓每個人和這個團體都變得更有實力、更有效率。我們瞭解到了自己這個品種天生具備的智慧，同時還習得了其他品種的一些本領。吉娃娃們學會了如何進行熱情的介紹，黃金獵犬學會了如何做行銷，而比特狗學會了有耐心、學會了聆聽。我們沒有被迫改變自我，而是因為展現了自我而得到嘉獎，同時還得到了鼓勵，讓我們更加充分地進行自我發揮。這是自我延伸，而不是自我否定，這使一切都變得不同。

我們每一個人所接受的培訓和教導都是以自身條件為基礎的。史蒂夫花費了大量時間來瞭解我們的能力，並儘早地讓這些能力得到了充分的發揮。公司也花費了大量金錢送我們去參加全國各地的培訓課程。而他們所做的這一切最終都得到了回報。

我們的部門一度是公司表現最差的一個部門，可是如今搖身一變，成了一部功力驚人的銷售機器。不出十八個月，我們就成了公司國內排名第一的部門。而我成了公司全美銷售業績排名第一的推銷員。

史蒂夫作為一名優秀的訓練員，拿出了一定的時間驗明在他手下工作的都是哪些品種的銷售狗，而且還進一步將我們所有人都培訓成勇猛的獵犬、忠誠的夥伴和求知欲極強的學生。我們每一個人都從那段工作經歷中學到了很多東西，並在後來的人生經歷中把所學的這些東西繼

續發揚光大。

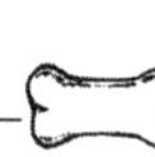

骨頭：有的狗會推銷，而有的狗卻不會推銷，這並非天生的推銷基因或難以捕捉的運氣在作怪，而是有的狗接受過培訓，有的狗卻沒有。不錯，確實有天才存在，但天才畢竟是極少數。偉大的表演者都是在他人的訓練和指導下練就了完美的本領。那些漂泊游離的狗，沒有接受訓練，從未意識到自身的能力或弱點，最終往往只能在卑劣和饑餓中徘徊。

我在那些日子裏學會了很多東西，比如關於銷售、人、行為和態度對最終結果的影響。多年以來，我在推銷上取得了卓越的成績，我從挨家挨戶賣黃瓜，到推銷電腦、軟體系統、空運貨物和運輸服務，推銷的物品可謂應有盡有。我還推銷過服務，比如個人發展服務、公司變革項目和針對那些心有疑慮、不被認可的人所提供的行為轉變服務。

當時我幾乎沒有意識到商業生涯將使自己成長為一名真正的「人類」的培訓師，成為一名獸醫，為那些有需要的種群調整心態。現在我要帶著我的椅子、鞭子和馴狗的用品到世界各地與上千個公司合作，應他們的請求，協助他們把屬下那些平庸的狗培養成冠軍狗。

對那些尚未獲取功名的房地產經理人、保險經理人、直銷經理人和公司銷售經理人，我要說的是，希望是有的。對所有那些企業家、企業主和推銷員，對那些夢想著「財富大餐」的人們，我要說，它比你想像的還要唾手可得。

世界上真正最優秀的推銷員，不管他們是在新加坡、香港、德頓市還是曼徹斯特，都有一個共同點。他們都是銷售狗。而任何一個負責激勵、教導或管理這些狗的人都是一名馴狗師。

六、各有各的強項

說起成功的祕訣，大多數了不起的運動員都會說：「你要全力以赴、發揮強項！」比特狗、黃金獵犬、貴賓犬、吉娃娃和巴吉度在銷售過程中都扮演著不可或缺的角色。和狗的世界不同，在銷售狗的世界裏，「純種狗」通常不如品種稍微雜一點的狗吃香。要成為冠軍銷售狗，關鍵是瞭解你自身的能力，並依據自身的能力做事，同時還要學習其他狗身上的本領。為了成為佼佼者，就要有能力進行「跨種訓練」，這是銷售狗取得成功的一個關鍵因素。

要實現這個目標，第一步就是清楚地瞭解一下各個品種的狗都各自有哪些強項。

比特狗

比特狗的強項顯然就是他們那種直率和好鬥的衝勁。他們能無比熟練地找出一條最短的銷售路徑，籌備不久就能成交，在這一點上沒有哪一種狗能和他們一爭高下。他們雖然缺乏耐心，而且往往還缺乏智謀，但是他們那種無畏的鬥志足以彌補這一切。

是那種願意迎接挑戰的心理使他們贏得了市場上的成就。他們不懈地搜索新的目標客戶，

堅持進行銷，並一次次無畏地面對拒絕，他們的這種能力讓人如此神往，以至於許多人都把他們奉為典範，不惜違背自己的天性去爭相效仿。

你只要用一句「不行」就可以不費吹灰之力把其他的狗打發了，可這樣的回答只能使比特狗更加努力，他們會不斷發起進攻，直到你說「行」為止。不過，他們不會浪費時間去追逐毫無希望的訂單，當開局表明一切進展都將十分緩慢時，他們會很快奔向其他目標。

比特狗奉上的骨頭：在你不確定的時候，做點什麼……做什麼都行！在你心煩的時候，打個推銷電話好了。諾曼•施瓦茨科普夫是一九九〇年海灣戰爭中戰績輝煌的將軍，他曾經說過：「在你不確定的時候，作個決定好了。如果你不作任何決定，就有可能面臨災難性的結局，而哪怕一個糟糕的決定也能促使事態出現進一步的發展，促使人們採取一定的行動，至少你還有東西去糾正。」這樣的行為習慣能使更多的大門向你敞開，能為你創造出更大的、驚人的動力，完全超出你的想像。當你不確定的時候，就有意地去征服心中的疑慮，通過任何一種方式來採取行動，讓自己出現在某個人的面前。銷售就像是棒球比賽，你揮棒擊球的次數越多，打出全壘打的機會也就越多。你要是一直坐在板凳上，那就什麼也得不到！

他們在遭到拒絕時會想著怎麼把事情變得更加有利，而不是去做調查、不予理睬或採取徹底迴避的態度。一隻偉大的銷售狗總是具備足夠的勇氣，能充滿自豪和信心地把產品和服務帶到市場上去。比特狗堪稱勇敢的先鋒，他們有種天生的本領，能很快打下最初的勢力範圍。如果時間緊湊，而且目標客戶無數，那這些銷售狗取得成功的大好機會就到來了。

一些做銷售的人常說「一切都是數字遊戲」，在某些市場上，情況的確如此。如果你的產品或服務在大眾市場上頗受青睞，那這種說法完全正確，而比特狗也正是這種銷售工作的最佳人選。但是，如果你面對的是一個小市場，目標客戶相對較少，那麼其他品種的狗可能會取得更好的成績。

黃金獵犬

黃金獵犬深知，提供持續不斷的優良服務是積累財富的最重要的手段之一。他很清楚，在大多數情況下，銷售的最佳機遇就在他自己的客戶源當中。只要你曾經為這些客戶提供過優質的產品和服務，那麼這些銷售就會為你以後的推銷鋪平道路。

黃金獵犬和貴賓犬一樣，他們都知道滿意的顧客不僅會繼續購買，而且還可以成為自己最有說服力的宣傳者和品質見證人。在其他的狗跑出去尋找新的獵物時，黃金獵犬卻在原有的客戶身上增加銷售額，並致力於透過推薦促進銷售。他們知道，與老客戶相比，向一個新客戶推銷需要付出六倍的金錢、時間和精力。

黃金獵犬是一種目光長遠的銷售狗，他們能夠建立起強大的銷售機構，並培養出永遠忠實支持自己的客戶。別看這些銷售狗天性友好，他們可一點都不幼稚。他們非常明確自己每一個客戶的長期購買潛力如何，並據此為客戶提供量身定制的服務套餐。黃金獵犬要的不是客戶，他們要的是朋友、同事還有熟人，都是「非常不錯的人」（只是，這些人當中有的人比其他人要更好一點！）他們最了不起的特點之一就是總能持續不斷地想辦法讓每一次交易和每一次服務都增加一些真正的價值。他們總是不厭其煩地一次次地跑回來，採用新的方式來取悅客戶。

黃金獵犬奉上的骨頭：永遠爭做第一個付出的人！不管是在談判、銷售、爭論的過程中，還是在其他不同的場合，所有的商業領域無一例外。第一個付出的人永遠會佔據優勢，因為這樣一來，你就觸動了原本持平、對等的天秤，讓它朝著對你有利的一面傾斜過來。對方在潛意識中會覺得自己有義務報答你對他們的付出。為他人付出，你可能不會馬上得到回報，但是在充滿能量的商業活動中，也就是我們所謂的銷售行為和生活，有著非常有趣的互惠法則。養成付出的習慣，這樣你的姿態才會更真誠，才不會讓人覺得你有所圖謀。

黃金獵犬總是致力於提供高水準的服務，因此他們不會那麼坦然地面對拒絕，因為他們往往會從個人的角度看待拒絕，而不是對事不對人。他們容易把拒絕看成是對產品或服務的直接批評，甚至更嚴重的是，他們會認為這是對他們個人的一種否定。而客戶則對此津津樂道，因為他們知道黃金獵犬會在遭到拒絕後一聲不吭地退回去，改正錯誤，再提供更好的服務，變得更加順從。

貴賓犬

在做生意的時候，外表和形象是至關重要的。許多商品和服務雖然比別人的略遜一籌，但銷量卻勝過了別人，原因很簡單，就是看上去形象更好。感覺比實際的影響力可大多了！

沒有人比貴賓犬更清楚形象和聲譽對於銷售成功的重要性。貴賓犬是奉行完美主義至上的市場行銷理念的銷售狗，他們為產品和服務進行定位的能力使他們成了狗窩中報酬最高的銷售狗之一。

貴賓犬意識到，自己對產品或服務的市場行銷做得越好，成為「下單高手」的這個目標就越容易實現。他們要客戶來找自己，而不是自己去找客戶。許多貴賓犬非常擅長開發並應用市場行銷的工具和策略，他們在座談會、展覽場上以及各種公關場合盡顯風采。貴賓犬在贏得聲譽、發掘推薦人並建立起一個人際關係網路上總是做得非常徹底，而且他們可以打造出最好的

仲介推薦網路。

貴賓犬奉上的骨頭：學會在各種群體面前發表出色的演說，並儘可能在實踐中不斷運用這門藝術。一對一的交流技巧固然重要，但若能夠在眾人面前發表出色的演說，能使你的知名度和信心增加百倍。還要學會如何通過裝扮和服飾體現你個人的風采。研究顯示，穿著講究、裝扮得體的推銷員比那些外表不加修飾的推銷員的業績要高出35％。我個人有幸和世界上最好的形象顧問合作過，並受益匪淺，我建議你也去尋找專業的培訓機會。要學會如何讓服飾裝扮在最大程度上擴大你的影響力，學會如何突出你最美的一面，而將其他的弱點化為最小！形象和衝動是人們購買的動力，好的外表不過是工作內容的一部分。一隻了不起的銷售狗要從貴賓犬這裏學好多東西呢。

記住，和貴賓犬在一起，產品或服務不但要好，還必須「看起來好，摸起來好，聽起來也好」。他們知道，高級的產品與服務若能體現出美學與頂級品質的完美融合，就會在競爭當中所向披靡。

如果公司給貴賓犬足夠的自由空間讓他們去開發並測試市場行銷工具，那他們會有一番非凡的表現。他們非常熱衷於建立團隊、網路和聯繫人體系，還把這些聯繫人稱為「朋友」。如果讓他們經手一些本來就很搶眼、很有吸引力的商品，如汽車、房子、渡假村和昂貴的家用電器，那他們也會成為眾人矚目的人物。他們的強項就是有效地打造公司形象。

吉娃娃

在這個高科技銷售與市場行銷的年代裏，吉娃娃是狗窩中一顆迅速崛起的明星。擁有最新、最準確的產品知識可以說是一個艱鉅的挑戰，但是，產品知識是一種證據，沒有這個證據，你就永遠也無法徹底說服「陪審團」。吉娃娃在最終實現交易的過程中扮演著非常關鍵的角色。

如今，客戶對市場上的產品及服務的性質瞭解得越來越多，因此一個成功的銷售狗必須與時俱進，必須掌握最確切的資訊。有太多的狗都太懶惰了，沒有對此給予足夠的重視，而正因為如此，他們只能進行「膚淺的推銷」，無法取得成功。一切聽上去都棒極了，直到客戶問起細節問題時才傻了眼。

吉娃娃具有特別的天分，他們能很好地把事實和證據揉合在一起，向目標客戶展示一切是如何運作的。他們有能力控制並減小客戶心中的疑慮，能夠把智慧和信心融入自己所推銷的產品當中。許多最出色的吉娃娃都要花費大量的時間作調查，學著去瞭解整個產品牽涉到的所有

錯綜複雜的資訊，在投入大量時間和精力後，他們往往對自己推銷的產品或服務產生了發自內心的激情。他們總是能將熱情和不容置疑的證據合二為一，作為推銷員，他們這種獨特的能力令人敬畏，就連疑心最重的顧客也對他們心悅誠服。白紙黑字的資料總能讓你心服口服吧！

吉娃娃奉上的骨頭：學習如何去學習！掌握具體的學習策略，學會如何像海綿一樣去吸收關鍵的資料。你有著獨特的學習風格，一旦你掌握了它，調研和學習就變成了樂趣，變成了一件很簡單的事情。當教育變成了一種樂趣，那你就開創了一片超越極限的天地。學校教你去聽、去讀、去記筆記，並將資訊來回咀嚼。狗不這樣做，大部分人也不會這樣去做。對我們當中的大部分人來說，學習的程式是這樣的：首先去經歷（做一次行銷），然後就是磋商（討論和回顧），接著是把你學到的東西寫下來。對資料也是如此。拜訪一個地點，與客戶談話，採訪一個賣主，然後把你學到的東西解釋給另一個人聽，接著把你需要記住的東西寫下來。你的客戶數會出現驚人的成長，而你在會見目標客戶時也會信心倍增。

正因為此，他們接觸的買主在購買後反悔的比率比其他狗要低，如比特狗或貴賓犬。比特狗的「受害者」在所受的威脅逐漸消失後會改變初衷，而貴賓犬的獵物在魅惑者離開後也會三思而後行，但吉娃娃留給目標客戶的只是事實、數字和資料，而且這些都經得起邏輯檢驗，都具有很高的可信度。（尤其對那些慣用左腦思維的人來說！）

吉娃娃還天生好奇，對目標客戶的生意以及他們的夢想都很感興趣。他們對每一件事情都感興趣，所以很擅長把產品的特點和客戶的需要搭配起來。

他們的頭腦就像不斷擴大的資料庫，渴望自己能在一天二十四小時內不間斷地對每件事情、任何一件事情展開市場調研。他們處理的資訊非常瑣碎，超出了人們的想像。但是往往有的時候，正是這些看似瑣碎的資訊，這些小得不能再小的細節，會使局勢向對你有利的一面傾斜，最終敲定一筆買賣。在面對拒絕的時候，吉娃娃會很快查出是什麼潛在事實導致自己這次遭到拒絕，然後再拿這些事實和產品以及服務的確切情況進行對照。他們的座右銘是：「知識最豐富的人才能贏！」

巴吉度獵犬

巴吉度獵犬的強項是真正經得起時間考驗。許多這個品種的狗都生長於工業時代，在這個時代裏，價值觀和個人關係是推銷的關鍵因素。他們的強項在資訊時代同樣能發揮關鍵的作用，因為這個時代中的每一筆交易同樣要涉及許多錯綜複雜的人際關係。

在那雙大眼睛和那對垂著的大耳朵的背後是一顆誠實、堅韌和值得信任的心。巴吉度獵犬把這些價值觀帶到市場上，並將它們化做自己的榮譽徽章。他們會盡最大的努力證明自己的可信度和忠誠性。事實上，如果一個客戶沒有對他們表現出同樣的熱情，他們會感到非常受傷害。如果有可能讓他們選擇，他們總是更願意選擇與某人一對一地相處，堅定地直視對方的眼睛，建立一種私人的親善關係。在某一點上，他們和黃金獵犬非常相像，這就是他們非常漂亮，有著可愛的個性。

在某些情況下，取得客戶忠誠的支持非常不容易，而此時巴吉度獵犬可以在穩定客戶方面發揮巨大的影響力。隨著客戶的期望和需求不斷增加，品牌之間的競爭優勢以及品質差別的空間不斷縮小，這時巴吉度獵犬所具備的與人們建立感性聯繫的能力，往往會成為決定性因素。要想保持成功的銷售業績，狗窩裏千萬要養上幾條巴吉度。

這些銷售狗可以在別人無能為力的情況下去挖掘並尋找機會。如果機會很少，你需要派一隻巴吉度去巡查領地，嗅出不太明顯的機會。這些狗的嗅覺和追蹤能力出神入化。他們能在千步以外聞到機會，並有一種神奇的本事，總能找到非同尋常的新解決辦法來應付客戶提出的問題，而其他人可能就是花一百萬年也想不出這樣的辦法。

巴吉度獵犬奉上的骨頭：掌握親和力這門藝術。你可以從今天做起，完成如下兩件事情。

1. 學會聆聽。巴吉度獵犬有著一雙大耳朵，所以聆聽對他們來說是一種非常自然的行為。你在學習這個技巧時，要訓練自己閉上眼睛去聽，或者把頭隨便轉到說話人的那邊去聽（耳朵要豎起來）。如果你和大多數人一樣，那很可能此時你眼前看到的東西會分散你的注意力。這種訓練能讓你隨時跟上談話節奏，提高聆聽的能力。而該技巧對擅長聆聽的人來說完全出於本能。
2. 學會把說話者的肢體語言和他說的話聯繫在一起。巴吉度獵犬能讓你對他說「噢——」，因為你被他那雙憂鬱的大眼睛所打動。同樣，你也可以用這樣的方式和你的目標客戶、妻子或丈夫、工作夥伴或老闆進行溝通。把他們的肢體語言，如雙臂交叉、蹺二郎腿、腦袋微抬，以及其他面部表情等等，都和他們要表達的東西聯繫在一起。考察他們是不是在使用某種視覺語言（你看懂我的意思了嗎？），聽覺語言（你聽到我在說什麼了嗎？），或者感覺語言（覺得不對勁嗎？）。實際上，人們經常會在說話時不經意地給對方暗示，而這種暗示能幫助你揣測他們的交際風格。注意聽取他們的各種語言，善解人意你會在對方甚至沒有意識到的情況下打造出一種奇蹟般的溝通方式。

巴吉度讓人信任。他們行事穩妥、可靠，客戶在尋求公正客觀的建議時會來找他們，因為客戶明白他們不會讓自己失望。如果手裏的產品或服務對客戶來說並不合適，和其他品種的狗相比，巴吉度更有可能對客戶實話實說。不過，巴吉度有一種「瘋狂的發明家」的氣質，也就是說，他們還更有可能找到一種折衷的解決方式，完全符合客戶的需要，同時也能把產品推銷出去。

每一種銷售狗都要學會把自己的強項和其他銷售狗的強項綜合起來看待。這就是為什麼銷售狗團隊在當今的市場上最具價值。在團隊中，每一個成員都能夠發揮自己全部的才能，同時讓同事去發揮他們的才能。這樣他們才可以作為一個團隊進行銷售，工作起來才能穩定、有效和自然。

比如，巴吉度獵犬必須學著把自己發展人際關係的深刻理念及能力與貴賓犬的市場行銷力量結合起來。否則，他們很難在日益龐大的網路經濟中找到出路，因為在這裏有90%的客戶是你永遠都見不到面的！為了跟上別人的腳步，巴吉度必須學會在一對一的環境之外如何實現多向發展。

而貴賓犬和比特狗可以從黃金獵犬那裏學到許多東西。這兩種狗對如何拿到訂單很有一套，但是黃金獵犬更清楚售後服務對保持戰績來說有著怎樣的重要性。

所有的狗都能從吉娃娃那裏學到某些東西。狗窩裏若是沒有這些知識豐富的銷售狗，那麼一個銷售機構可能就只有挨餓的份，沒有大嚼的機會了。吉娃娃提供的關鍵事實資料和資訊能

解答客戶最關心的問題，消除他們的擔心，並最終讓合約白紙黑字地落實下來。

那麼，你是哪一種銷售狗呢？

你有沒有確定自己和哪一個品種的狗最接近呢？

哪一種描述似乎對你來說最真切？

哪一種狗是你「重要的另一半」？

作為一名馴狗師一定要有能力辨明自己手中所有的狗究竟都屬於什麼品種，這種能力將提高你管理該群體的能力。知道如何識別狗的品種將使你擁有更大的滲透力，能夠更好地滿足更多的客戶提出來的更多要求。結果是什麼呢？更多的銷售訂單，更多的獎金，還有更多的現金，而且人人有份！

支援銷售的注意事項

每一個銷售機構都有一間機房。這裏的人每天都轉動輪子，確保產品能從A發送到B，確定服務提供完成，客戶的姓名拼寫無誤。他們在銀行存取款，使賬簿收支平衡，盡力讓每一個人都高興。這些沒沒無聞的英雄們對於銷售成功也發揮了關鍵的作用。銷售狗若能給這些為他們服務的人提供服務，將會獲取非常巨大的利益。

超級混種狗

此時，你可能覺得你和某一個品種的狗有很多相似的地方，但其他某個品種的一些特點似乎也和你很貼近，對此你可能會覺得很困惑。如果你認為自己和一個品種更相近，你很可能就是屬於這個品種的狗。我們每一個人都有一個主要品種，同時還摻雜著其他一些特質！

在狗的世界裏，純種狗很名貴，是價值不菲的動物。而在銷售狗的世界裏，他們雖然也很珍貴、很特別，但是可能就沒有那麼的名貴了！有的推銷員很自豪地宣稱自己是某個單一品種中的一員，而且拒絕吸收他人的一些優點。可是，最成功的推銷員都會既瞭解自身的天賦，又努力地吸收他人的優點。在銷售狗的世界裏，真正的主宰者是超級混種狗。

我有一個朋友在德州，她是我所認識的最了不起的企業主之一。她曾經是奧斯丁一流的房地產經紀人。現在她和她丈夫擁有德州最成功的一所房地產學校。她是一隻典型的穿著貴賓犬外衣的比特狗。她做起生意來很固執，而且從不心軟，但是她總能用她那優雅的姿態讓你為之傾倒。事實上，在任何一個種群中，最有能力而且殺傷力最大的狗往往是女性混種狗，尤其是穿著貴賓犬外衣的比特狗。（牠們會以同樣的破壞力讓你為之心碎！）

這種狗的能力讓人驚歎，牠們可以吞下大塊的市場，而牠們的競爭對手在被吃掉的時候甚至都沒有意識到發生了什麼。而且，目標客戶也被牠們的優雅和端莊完全迷倒了，常常在自己被賣了的時候還蒙在鼓裏。你可能在女盥洗室裏曾經見到過這樣一隻混種犬，她一邊對著鏡子

補妝，一邊咬牙切齒地嘀咕著：「我要搞定那個畜生！」

對貴賓及比特的混種狗來說，銷售這種遊戲就是生活的全部。大多數純種的比特狗一旦抓住了一筆買賣，最關心的就是佣金，他們滿腦子只有一個字，那就是「贏」！但是，由於貴賓及比特混種狗身上有了相當一部分貴賓犬的特性，比特狗的性格便不會輕易浮出表面。目標客戶大多感受到的是那種充滿魅力和睿智的社交氛圍，這些只有貴賓犬最擅長。

我的父親是我所見過的最成功的推銷員之一，他是一隻身穿巴吉度制服的比特狗。你看到的是他那充滿迷惑力的隨和舉止，這種姿態會麻痹目標客戶，讓他們放鬆警覺。但是如果你仔細觀察，你會看見他目光閃爍之間隱藏著一股殺氣。他的好鬥性深藏不露，不易被目標客戶所察覺。這種謙卑與攻擊性兼有的特性實在是讓人歎為觀止。

獻給經理人的骨頭

永遠不要低估任何一隻銷售狗。能打獵的狗都有個特點，他們往往看上去像個懶惰的混種狗，蜷在那裏，迷迷糊糊的，沒有什麼大作為。這是因為他還沒有嗅到任何氣味，一旦他嗅到了什麼，腎上腺素就會立即活躍起來，渾身毛髮聳立，立刻就準備出發了。所有的困境都阻擋不了他們那無限散發的精力，他們把鼻子貼近地面，無所畏懼地穿過泥窪，越過河流，翻越岩石，直到最終找到獵物。

有的銷售狗說起來頭頭是道，但是在即將成交時卻有一點停滯不前。你必須瞭解自己擅長

的是什麼，以及還有哪些技巧是需要繼續錘鍊的。如果你是一隻體重十磅的吉娃娃，而你的獵物是一頭體重達五百磅的大棕熊，你可能需要一點支援才能達成交易。在必要的時候，永遠別怕叫來同窩裏具備一定技巧的另一隻狗來幫助你敲定一筆生意。只要處理得當，推銷可以變成一種非常精彩的團體運動項目。比如，把一隻吉娃娃和一隻看家狗組合起來，那樣你就既有了聲勢和信心，又有了可靠的資料和信譽，這無疑是一個殺傷力極強的組合。

也有一些銷售狗似乎擁有無人能及的某種能力，他們能靈敏地嗅出一絲一縷的氣息，並進行追蹤。於是，他們擁有了許多很有潛力的目標客戶，但問題是他們很難把推銷進行到底。首先，你要讓他們充分發揮自己的強項，然後你要給他們幫助，協助他們完成交易。也有的銷售狗是「瞎」鼻子，他們無法打開局面，就算機會從天而降，他們也察覺不出來。但是，如果你把他們放在一個現成的目標客戶面前，他們就可以發揮自己的魅力，吸引、贏得對方，最終輕鬆而且出色地給整個銷售劃上一個完美的句號。

超級大骨頭

發揮你的強項，並讓每一個人都充分發揮各自的強項，這樣一來，你們都將成為贏家。

七、發揮你的強項

我向來堅信你應該先瞭解自己的強項，然後再去充分發揮你的強項。不過，有的時候你的強項反而會成為你的障礙。

我在就業的初期就曾遭遇這樣的情況。我有一個天生的本領，那就是非常善於學習、分析並利用別人的長處。我花費了大量的時間去欣賞並研究他人的成功經歷。我總是想，既然他們都比我成功，那就意味著他們一定具備某些內在的東西，是某些特殊的性格優勢把他們推向了成功的頂峰。而我的目標就是了解並學習這些性格特點。

想法是不錯，但是一旦走向極端便適得其反了。如果你完全壓抑了自己的靈魂、埋沒了自己的發光點以及獨特氣質，盲目地去模仿另一個人，那你的這種努力便會成為一種障礙，阻礙你的個性發展。在爭著模仿他人的強項時，你把自己的強項丟掉了。

說到我自己，有好幾次我非常努力試著變成另一個人。別誤會我的意思，學習他人的長處是提高自身能力的一個最好的辦法。不過，我很早便發現，試圖變成另一個人結果只會使自己陷於沮喪、掙扎、不快和困頓之中。

我的許多朋友，有的直至今天都保持著一種非常強硬、非常好鬥的氣質。他們有一種能力，那就是努力地挫敗別人的勇氣，壓制對方的力量與權力，迫使對方和他們簽訂協議。我雖然非常樂於參與他們這種充滿力量與激情的推銷過程，但是我自己一向無法壓制別人或和別人針鋒相對，無法迫使對方向自己屈服。

我是在俄亥俄州那瓦勒的一個鄉村社區中長大的，在同齡孩子中我又是最小的。記憶中，大部分時間裏我都是在躲避各種衝突，以保自身的安全。就是在這樣一種環境下，我磨練出了一種本能，那就是迅速起跑，突然拐彎，在較短的時間裏跑得很遠，甩掉追趕我的人。當我的腿再也救不了我的時候，我的嘴就會發揮作用，保住口袋裏買午飯的錢。我知道如何憑藉三寸不爛之舌讓自己逃出艱難或危險的境地。久而久之，我很難在別人面前擺出一副咄咄逼人的架勢。

許多人也許會認為，我這樣一個缺乏進攻性的人肯定是一個不怎麼樣的推銷員，但幸運的是，我個人的成功足以證明事實恰恰相反。

說實話，在遭遇衝突和艱難的處境時，我內心的感受還是和當年那個八歲的我一模一樣。當我在生意上進退兩難時，當我和妻子或同事發生爭執時，我心裏總有一種念頭，那就是逃跑，而不是去戰鬥。

如果我表現出一點勇敢的樣子，那更多的是因為我對現實世界中的殘酷永遠認識不足，永遠抱著天真的幻想，而並不是出自於直面衝突的勇氣。我常常發現，當我陷入了艱難處境中

時，我只要左搖右擺幾下就會逃脫出來。在這一次次的經歷中，我意識到自己天生傾向於息事寧人，不願意挑起事端，而我這種扭轉劣勢的能力使我贏得了巨大的利潤。

大學畢業後，我的第一份工作是在一家有名的貨運公司任職。公司老闆認定我將來會成為一個總裁或領導人物。他是個活力四射的企業家，經歷了許多磨礪才建立了這家成功的企業。他想把我打造成他的接班人。

我記得他曾對我說過這樣的話好幾次：「等你開始像我這樣想問題的時候，就算步上正軌了。」許多成功的企業家都抱有類似的觀點。

可是，我發現自己缺乏他那種勇氣，不敢站起身來面對那些人高馬大的貨車司機，沒有像他那種勇氣對工會採取強硬態度。我認識到我的強項是談判，是讓別人變得心平氣和。最後，我再也不願意強迫自己改變個性，何況這種個性完全不適合我。於是我離開了那家企業，開始追求自己的銷售事業。

我遇到的第一個銷售經理採納同樣的方式，試圖把自己的手下打造成他自己的複製品，即他心目中最完美的推銷員。在史蒂夫取代他之後，我的世界發生了轉變。

在最初的幾個月當中，我接受了培訓，這些培訓讓我展現出了自己的強項：我有一種取悅客戶的強烈欲望，而且擅長與人建立和睦的關係，並能持續保持積極的心態。我幾乎可以和任何人變成朋友，並能很快讓他們放下戒心。我發現自己一旦遇上一個目標客戶，就能在非常短的時間內和對方建立起一種牢固的、彼此信任的長期合作關係（典型的巴吉度與黃金獵犬的混

合品種）。

我的這些強項足以讓我發展成一名中上水準的推銷員，但是我仍然需要學習另外一些技巧，才能成為一隻真正不同凡響的銷售狗。說到這裏，我的一些天生的特質真的成了我成功路上的障礙。

比如說，我總是下意識地推脫一些讓我覺得不太自在的會面和一些比較難處理的任務，總想著「以後再說」。我經常在一次銷售過後需要緩衝一下，看著自己的精力和良好的狀態一點點消失殆盡。所以，我很難進入連續運作的狀態。我的這種天性既成了我的動力，也成了我的阻力。

對我來說，做行銷比做什麼都難。我可不是比特狗。不過我意識到，若是沒有這個能力，那在一開始不是很順利的情況下我就將永遠處於劣勢。我知道自己需要有能力去開拓業務，而行銷是開拓業務的最好方式。顯然，我需要克服與陌生人交談時那種從內心油然而生的恐懼感，不能害怕遭到拒絕，因為正是擔心被拒絕，我才不敢貿然地去推銷。

我的經理通過培訓幫助我跨越了這道重大的障礙。他告訴我，行銷的目的並不是推銷任何東西，而是鍛鍊自己，讓自己適應其他的銷售形式。這就像舉重或跑步一樣。他讓我把整個過程一遍遍地重複，這樣就會在我的腦子裏形成一種神經性的條件反射。這個辦法果然有效。反覆行動終於趕走了我心中的畏懼，取而代之的是一種迎接新挑戰的激情。

事實上，我把行銷這項苦差事以及克服內心恐懼的這種煎熬變成了自己的一種驕傲。對我

來說，看看自己在一天當中能做多少次推銷簡直成了一種遊戲。我相信自己現在仍然是紀錄保持者：一天六十八次！

若在過去，這簡直是不可能的。但現在我知道，這對我意味著一次真正的衝擊。我記得自己在檀香山商業區裏從一間辦公室跑到另一間辦公室，推開一道道門，在一個個接待員面前匆匆走過。我學會了怎樣在最短的時間內察言觀色、觀察人們在辦公室裏的位子排列就可以發現並找出辦公室經理。

我會突如其來地出現在他們面前，用手中昂貴的計算器向他們進行瘋狂的介紹，大喊大叫中洋溢著狂熱與幽默。我記得那天剛開始做的幾次推銷讓我很痛苦，但是在那個創紀錄的日子裏，（大概在第二十五次推銷的時候）突然間我完全放開了！我衝進辦公室，就像一隻鬥犬那樣咆哮著，時而還夾帶著一絲土狼式的幽默，我在辦公室所有人員的面前進行表演，完全沒去想推銷的事情，也沒有顧慮到自己的形象。我的幽默和潑辣發揮得越來越淋漓盡致，而在那天接下來的時間裏，我把每一次推銷都視為一次新的演說機會，並利用這些機會不斷磨鍊自己的技巧。

那天所做的推銷沒有一次成功的，但是我的思路被徹底打通了。只要有必要，我就能和比特狗一起衝鋒陷陣了。

我意識到我這種銷售狗（巴吉度和黃金獵犬的混合品種）總有一天需要運用更多的技巧才能上升到最高的層次。我只用了一天就領略到了比特狗的思維方式，並學會了這個品種最強的

天性：好鬥，而且不在乎自己的形象。對我來說，這是具有轉折意義的一天，從那以後我學到了很多東西。

我新練就面對困境的本事使我成功地獲得了好幾筆業務，這些業務給我帶來了豐厚的收入，讓我賺到了很多錢。如果我沒有接受訓練，在發揮自己強項的同時沒有學習其他銷售狗最拿手的本事，那麼我現在可能還蜷縮在某個角落裏，做著天上掉錢下來的美夢。

你不一定非得要做一隻比特狗，但是你必須學習比特狗的本領，在自己需要的時候能把它運用起來。

我很清楚，作為推銷員，我最大的長處是我仍然是一個「好人」。但是，在必要的時候，我也能像比特狗、吉娃娃或貴賓犬那樣披掛上陣。通過培訓和實踐，我的頭腦裏已經開始接受了那些新的戰略和技巧。我能夠去學習，去經歷，把阻撓自己從他人身上學習成功策略的精神障礙徹底掃除。我已經把自己的頭腦培養得非常靈活，可以視情況隨時接受並啟動我所需要運用的戰略技巧。一度讓我畏縮不前的那些恐懼和障礙逐漸消失了。

事實是，正因為我願意學習，正因為我得到了很好的訓練，我才最終發現，在我的內心深處真的潛伏著一隻比特狗，牠在蠢蠢欲動，渴望著衝出藩籬；同時潛伏在我內心深處的還有一隻貴賓犬，牠也在蠢蠢欲動，渴望著保持良好的形象；另外還有一隻吉娃娃，滿懷著激情和動力，彷彿一個徘徊在邊緣的資料怪人。煤礦的深處其實埋藏著許多鑽石，你需要花費大量的時間、付出艱苦的努力才能讓它們顯現在你面前，讓它們發出光芒，給你帶來財富。

骨頭：有的銷售狗能推銷出產品，而有的些則不行，這其中的另一個原因在於你是否有能力學習並運用致勝的技巧。有的人能夠吸收對自己來說比較陌生的行為技巧，這樣的人能夠通過學習成為一隻超級銷售狗（或者我們所說的超級混種狗）。而有的人不會學習，拒絕放棄固有的思維方式，固執己見，他們只會說「那不是我的風格！」這些人最終只能被拋棄，淪為可憐蟲。你必須永遠做一個學生，永遠渴望超越自己。

不過，人們每碰到挑戰時，頭腦中那個下意識的聲音就會說「我只能用我的方式來處理」，如果你在這個聲音的影響下輕易地繳械投降，那就永遠也達不到更高的境界，永遠也不會擁有現在所享有的經濟上的成功、社交上的成功和生活上的快樂。

八、超級混種狗訓練

你也許要問「在推銷當中哪一種銷售狗最成功、賺的錢最多？」是不言放棄的比特狗嗎？那麼能給人留下深刻印象的貴賓犬呢？會不會是巴吉度獵犬，因為牠是那麼擅長與人交際？或許是黃金獵犬吧，牠那無與倫比的客戶服務是不是總能讓人稱道？或者在這個電子世界裏，吉娃娃對技術知識瞭若指掌的頭腦更能讓牠獨領風騷？

對這個問題，各個行業中、各種情況下都會湧現出各種不同的答案。你需要讓一隻貴賓犬來推銷一個新公司的「形象」，他們的本事往往是表現這個公司「將會怎樣」，而並非「它實際上是個什麼樣子」。

在一個在商言商、講究高科技的環境當中，吉娃娃可能在處理疑難問題、完成複雜的銷售過程方面是最成功的人選。在銷售領地遭到破壞、需要重建客戶的信心和支援度的情況下，黃金獵犬那以客戶服務為基礎的銷售戰略可以解決問題，因此，這時候黃金獵犬會是最成功的人選。

同樣，要想在一支銷售隊伍中注入傳統的價值觀以改變局面，那扮演這個角色的最佳人選

非巴吉度莫屬。巴吉度是建立「老夥伴」銷售網路的大師。當然了，在銷售進展緩慢或是時局艱難、該衝鋒陷陣的時候，沒有人能比得上比特狗了。

那麼究竟哪一個品種的銷售狗能推銷得最多，賺到最多的錢呢？正確的答案是：所有的品種。

如果你能在一個推銷員身上找到這些品種的最突出的優點，那你就找到了一個我們所說的「超級混種狗」。不管情況或環境如何，這種冠軍銷售狗總能生存下來，並能取得輝煌的成績。

你是否成功並不取決於你究竟屬於哪一個品種。一隻銷售狗如果完全依賴自己固有的長處，不去學習其他品種的特長的話，那他們在銷售行業最終只會表現平平。你是否有能力在發揮自己專長的同時學習其他品種的本領，將決定你是否能成為一隻成績非凡的銷售狗。融合的品種越多，賺的錢也就越多！

不久前，我受紐約的一家大投資銀行的委託，觀察他們的一個銷售團隊，這支銷售隊伍正在竭盡全力地招兵買馬，但業績仍然不夠理想，他們想讓我看看為什麼會這樣，並幫助他們扭轉不盡人意的銷售局面。

我一去就旁聽了一次該銷售團隊與一名客戶之間的電話會談。我們全體都在一個辦公間裏集合，這個房間四面都是玻璃牆，從房間裏可以俯瞰這座行色匆匆的城市。房間中央擺放著一張巨大發亮的紅木會議桌，可供十幾個人輕鬆入座。當時，房間裏有六個銷售和行銷經理在來回踱步，他們試圖向一家財富五百大企業的養老金基金管理經理推銷一種高投資有價證券。

在電話會談開始前的那三分鐘異常地漫長，彷彿時間都凝固了一樣。房間裏西裝革履的鬥士們都非常亢奮，就像一支準備上場的高中足球隊。

他們的瞳孔放大了，掌心冒汗了，還不時地鬆一鬆價值二百五十美元的領帶，隨時準備出擊。正午的陽光穿過房間巨大的玻璃牆面，一排金光閃閃的襯衫袖釦險些讓我睜不開眼睛！

我坐在角落裏，靜靜地觀察著眼前的情景。此時，這個銷售團隊正在重溫他們的遊戲計畫，他們把客戶可能提出的所有拒絕的理由都準備了一遍，而銀行的負責人也熱烈地給他們打氣：「我們一定要把這個人征服！」這一刻，我彷彿看到了他掛著哨子、身穿運動服的樣子，那運動服上印著兩個大字「教練」。

電話鈴響了，每個人都把注意力集中在桌子中間的擴音器上。在和客戶進行了幾分鐘的交談和問答後，其中一隻銷售狗像突然亮了起來的電燈泡一樣，一躍而起，迅速伸手按下了電話上的「靜音」鍵。

接著，他激動萬分地告訴大家他突然想出了一個絕妙的方案，保證讓這個客戶不得不接受他們的推銷。大家熱烈地回應著，興奮異常，全部都撲到這個計畫上來了。他們就像一群叫個

沒完的小狗一樣，左蹦右跳，前前後後地絮叨著，在白板上瘋狂地塗寫著，還屋裏屋外跑來跑去地搜集更多的資料資料。

在這好一陣子的忙亂中，他們卻忘了那個客戶還在電話那邊繼續說話呢，而此時他們當中沒有一個人在聽他說些什麼！靜音鍵一直按著，只不過，每過一會兒就會有一隻銷售狗走過來把它關掉，非常禮貌地對客戶應付道「哦，哦，是的，好的，很好」，接著他們又會按下靜音鍵。這一切簡直讓人無法想像，而我能做的就是強忍著不讓自己捧腹大笑。

過了一陣子，他們終於確信自己已經將獵物鎖定了，於是，銷售經理們鎮定地坐了下來，取消了電話靜音。他們裝作聽了幾分鐘，然後抓住對方一個停頓的間隙，開始拋出自己的殺手鐧，試圖完成他們自認為是本世紀最大、最成功的一筆交易。這些人幾乎一口氣把話說完了，其間，一隻吉娃娃滔滔不絕地拋出了一大堆的資料，那種咄咄逼人的架勢頗似比特狗的風格。最後，他們的話講完了，我幾乎感覺到他們已經準備點上香菸，靜候佳音了！

這時，客戶開口說話了：「哦，我聽到了你們說的這些，我不是很確定。這樣吧，你們過幾個星期再打個電話給我，我們到時候再進一步討論一下吧。我還需要考慮一下其他的選擇。」

會議室裏的人都嚇呆了，不敢相信自己的耳朵。一些人嘀咕了幾聲，試圖重新解釋些什麼，可是客戶已經離線，掛斷了電話。

電話「咔噠」一聲掛斷了，此時周圍一片沈默，只有我在角落裏竊笑。銀行的負責人還楞

在那裏，一副摸不著頭緒的樣子，他轉過身來問我：「出了什麼問題？」

問題很簡單，不需要請教火箭發射專家，普通人都能發現問題出在哪裡。這些傢伙都是一些超級的比特狗，兼有一點吉娃娃的特性。很顯然，這裏缺乏的、同時也很急需的是巴吉度獵犬或黃金獵犬的身影。

從一開始他們就紛紛忙於找出解決方案，而沒有耐心傾聽客戶的問題到底是什麼。客戶一直在說，他關心的是如何讓他的董事會接受這些方案，而他的聲音沒有得到關注。他滿懷信心地把這個問題拿出來和他們討論，但他們根本沒有注意到他這些話的重要性。

這個客戶說，上一次有一筆類似的交易讓他很尷尬，使別人對他頗有微詞。所以，他很關心銀行的信譽，以及對於公司這種高風險的投資方式媒體會怎麼說。任何一隻貨真價實的巴吉度或黃金獵犬都會體認到，這段個人經歷將直接影響客戶的最終抉擇，這個人在尋求誠信、保證、放心和回報。而當時這群銷售狗給他的承諾除了回報之外，什麼都沒有。

由於整個銷售團隊都沒有意識到這個問題，結果追捕的過程中就沒了獵人。最糟糕的是，因為沒能成交，他們完全把責任推到客戶身上。突然之間，客戶成了「不可理喻」的人，「不是我們要的那種客戶」，而且「太難伺候」。在他們看來，一切都是客戶的問題，責任不在他們自己。

好消息是，我們後來為這些狗提供了培訓，讓他們瞭解了其他狗的拿手本領。實際上，我是把這些傢伙都叫到一起，讓他們彼此促膝而坐。他們要按我的要求直視對方的眼睛，毫不猶

豫地完成自己的夥伴所發出的簡單指令。我讓他們這樣訓練了好幾個小時。他們對此簡直忍無可忍！可是過了一段時間，他們領悟了。我們在他們的頭腦中打開了一條新的思路。他們學會了巴吉度獵犬的一個重要本領，那就是投入、溝通、聆聽，並讓對方明白你很清楚他的意思。

從那以後，這群銷售狗成了該銀行全球各個分部中銷售業績最好的一支隊伍！即使在證券市場大跌的時候，在整個華爾街的人都四處尋找避難所的時候，他們的銷售額仍然在持續上升。在接受培訓後的六個月裏，所有的銷售狗的獎金都上升到了六位數！

你必須瞭解自己的強項，然後盡情地去發揮。不過，你還必須接受特定的訓練，這樣你才能從每一種銷售狗手裏拿到他們各自奉上的寶藏。這就是成為超級混種銷售狗的祕訣。

在我所說的訓練和培訓中，你需要重複不斷地學習並操練其他狗與生俱來的本領，不過這些本領對你來說往往太生僻，不符合你平日的風格。在接受訓練時，德國牧羊犬也許要按要求在短鋼絲上來回行走，直到它學會了如何毫不猶豫地在上面坐、停或站立為止。同樣，銷售狗也要接受重複訓練，這樣才能把他們培養成了不起的獵人，培養成真正的冠軍。

六十八次推銷、數小時的促膝對視訓練，還有站在屋子前面進行陳述訓練，所有這些並不是要提高你的推銷能力，讓你更擅長目光交流，或教你如何得到更直接的回應，而是要在你的頭腦當中開啟起一條全新的思路，這些思路能讓你獲得某些本領，而這些本領正是你現在獲取財富所急需的！

讓我把這個概念再進一步闡述一下，因為它真的非常重要。訓練的設計意圖是要激發一種

思想意識上的敏感，而這種敏感原本是不存在的，就像那家投資銀行的那群比特狗一樣，他們根本沒有意識到自己忽略了某些東西，而這些東西正是客戶竭力尋求的。

有一次，一位女士正在對一群投資商作重要的推銷簡報，而我當時受人委託，要為她提出一些反饋意見。她有一雙銳利的藍眼睛，舉止非常優雅，穿著既有品味又不失幹練。她表現出的是一種不容置疑的真誠，而且她對即將闡述的有關投資機會的知識也瞭若指掌，另外，她還擁有燦爛的笑容和柔美的嗓音。

可她一開口說話，問題就出來了。她的簡報枯燥無味，而且她和面前的這群人完全沒有溝通。聽眾都失神了，大家不是昏昏欲睡就是在不停地看錶。她所陳述的內容對她的目標聽眾來說完全沒有吸引力。

事後我問她，她自己感覺這次講話的效果怎麼樣，她說：「我覺得一切都進行得非常好。」我問她怎麼會有這樣的感覺，她回答說：「哦，他們什麼疑問都沒有，我想我做得不錯！」

我問她：「如果真是這樣的話，那些投資商都到哪兒去了呢？我沒看到任何人留下來簽名索要更多的資訊，或者當場簽下支票。」

接著我又提出了另外幾個問題，這時，她才慢慢意識到她需要某種幫助。對大部分銷售狗來說，自學成功幾乎是不可能的。他們站在舞臺上的時間太久了，難免被燈光照得睜不開眼睛。

我可以告訴大家，在過去這十三年裏，我一直在教別人如何進行有說服力的、有效的銷售陳述，遺憾的是，上述情景我見得太多了。大部分銷售狗都缺乏一種洞察力，他們不瞭解自己的聽眾、目標客戶和同事對自己的真正看法，也不知道他們會作出怎樣的回應。這種現象在銷售中可謂「沈默的殺手」。而這些銷售狗很可能會去責怪環境、市場和客戶，卻很少對著鏡子仔細看看他們自身存在的問題。

通過訓練和教導，銷售狗能夠有機會得到重要的資訊反饋。在我剛才提到的那位女客戶的個案中，我們對她進行了必要的演說培訓。僅僅經過半天的培訓，她在座談中的陳述效果就有了明顯的提昇。

不經過訓練，你永遠也看不到自己忽視的東西！

混種培訓的另一個重要作用就是幫助人們克服某些心理弱點，不再害怕被拒絕，不再害怕遭遇尷尬或被人羞辱。人們之所以害怕犯錯，害怕面對拒絕或嘗試新鮮事物，就是因為他們害怕當眾蒙羞（在別人面前啞口無言）。對許多人來說，當眾蒙羞比死還可怕。（實際上，我最近看到了一份有關心理恐懼的調查結果，在導致恐懼的各因素排行，死亡只排在第三位！）

狗是不在乎這些的，因為牠們從沒有在學校裏被人嘲笑過，從沒有被愛人傷過心，也很少在眾人面前遭受懲罰。而我們在培訓中讓人們反覆操練關鍵的訓練內容，目的就是為了癒合過往經歷留在人們潛意識中的傷口，消除這些恐懼心理，取而代之的是建立起一種條件反射，而這種反射能讓人擁有激情、快樂以及金錢。

大骨頭

很多時候，我們盲目地認為自己所取得的成績都是天生註定的。有時候我們甚至為此而洋洋得意！「我就是要做我自己！」世界上任何一個偉大的企業都在不斷地研究並吸取他人的長處，以保持自己的競爭力並持續發展。一隻出色的銷售狗也應該這樣做。千萬別讓驕傲自大阻撓了我們掌握新技巧的求學之路。

記住：你不一定要成為一隻巴吉度獵犬，但是你必須瞭解巴吉度的本領，培養他對事物的那種敏感度，做一隻偉大的銷售狗。是的，認識並瞭解你自己的品種以及全部強項是很重要的。當然，意識到你這一類人天生的弱點並願意改進自身的弱點也同樣重要。不要用你的驕傲對你的行為方式進行辯白或庇護。不要說：「我必須永遠堅持我自己的這一套！」

對銷售狗來說，如果你抱著這樣的心態，那最終你只能唱著悲傷的歌曲，陷入無盡的痛苦之中。

九、管理狗窩

——銷售狗的行動章程

服從性訓練

即便是最溫順的一群狗，一旦沒人管教和指引，也會很快野性大發，互相吠叫，漫無目的地從一個領地遊蕩到另一個領地，尋找一點吃的東西來填飽肚子。

銷售狗也不例外。要想讓他們有所作為，就必須找一個訓練員，識別狗的品種，瞭解他們天生的強項和弱勢，把每一隻小狗

坐下、打滾、把木
棍撿回來、裝死
（打哈欠）
我一直想當
一個火箭發
射專家
狗屋

都放在一個恰當的位子上，使他們有可能獲得成功。他們的訓練員需要知道什麼時候應該放開束縛，讓他們自由發揮，但是在銷售狗行為離譜時，訓練員也必須早有準備，並且能有意識地拉緊手中的狗鍊。

在銷售狗的世界裏，凡是了不起的推銷員都是各種狗的混合品種。所以，有一點對你來說很重要，這就是要明白，想在銷售界做出成績，不一定非要做一隻純種的比特狗。

本書要打破一個最大的神話，這就是所謂的獨一無二的、成功的銷售模式。如果你是一名馴狗師，如果你此時正因無法讓手下的狗遵循這個模式而沮喪，那麼打起精神來；如果你是一名推銷員，如果你此時正在掙扎著模仿你的同行，那麼同樣地，打起精神來。所有的狗都會打獵。要想成為一流的銷售狗，你完全可以像現在這樣，做一隻好狗，誠實、熱情、富有同情心。要想在這場遊戲中勝出，你不必非得做一隻兇猛、世俗、咄咄逼人的惡狗，不必狂熱地去做推銷，或是擺出一副冷漠無情的架式。

想取得成功的銷售業績，你不一定非得是一隻比特狗。但是你有必要瞭解你自己屬於哪個品種，以及你同窩的其他狗都屬於哪個品種，這樣你就可以設計出適合自己的行為方式和交流方式。

記住，所有的銷售狗都有自己獨特的個性，而你的客戶和目標客戶也不例外。把銷售狗的銷售本領用在恰當的客戶和目標客戶身上，把他們派往恰當的領地，這樣有助於讓他們在一開始就學會如何建立關係。接著他們會繼續努力，並從其他品種的銷售狗那裏學習新的本領。最

終，無論在什麼情況下，無論在哪片領地上，他們幾乎都能做到戰無不勝。

如果你想培養與客戶之間的親密關係來製造成功的機會，那你就要作出明智的選擇。比如，派黃金獵犬去應付溫和婉轉的目標客戶，而如果對方做起事情來雷厲風行，那麼派比特狗前往則更為明智。你不能派貴賓犬去對付一個高科技資訊的狂熱者，他們不在同一個領域中；同樣，你也不能派一隻巴吉度去取悅一個貴賓犬式的目標客戶。

要是讓貴賓犬或比特狗去和政府打交道，他們可能會受到致命的打擊；相反，這些需要來來回回應付的、漫長而瑣碎的事務對巴吉度或黃金獵犬來說，做起來則是得心應手。

同樣，某些特定的產品也需要某些特定品種的銷售狗來推銷。比如，醫藥產品的推銷就不同於傳統的交易模式。它完全是一種公關遊戲，長期以來，醫藥部門總是從和他們比較親近的人那裏購買藥品（巴吉度獵犬的領地）。馴狗師必須為每一隻銷售狗加以指引，幫助他步入恰當的方向，取得他所能取得的最大成功。至於如何教導和發展你手下的隊伍是沒有任何一個固定模式的。你要提供的訓練，尤其是指導必須按照各個品種的性情量身訂做。但是別忘了另一個重要的問題，那就是不要太過強調狗的類別，他們每一個人都是獨一無二之的，都有自己獨特處。

在管理比特狗的時候，重點是要給他們製造大量的挑戰。限定配額、銷售競賽，還有其他讓他們在技巧上和業績上與其他人一爭高下的活動，都能激發他們的鬥志，促進他們的個人發展。派給他們一個無比艱鉅的任務，或是讓他們面對一個風險極大的挑戰。「我知道你絕對沒

辦法達到這個數，這完全不可能。不過，讓我們看看你到底能做成什麼樣子。」讓他們嗅到一絲氣息，或者開始就給他們一點甜頭，讓他們釋放出一些野性。

而這樣一種情境如果放在黃金獵犬身上，只會增加他的不安，因為這等於把他置於一個不是你贏就是我輸的局面中，而黃金獵犬更喜歡皆大歡喜的局面。他們不喜歡把自己的利益淩駕於他人的利益之上。

不過，如果你稍作調整，再加入一個附加賽來衡量客戶滿意度，那你就可以利用比特狗的技巧來實現平常只有黃金獵犬才能取得的推銷效果。如果你非常擅長激發你手下的銷售狗，那你就能取得你想要的效果。

你的比特狗不太圓滑，甚至有時候態度有些粗魯。他們覺得待在小圈子裏比待在高爾夫俱樂部裏更自在，而且他們認為銷售就是一種爭取合約的體育運動。清楚、簡明地為他們指出方向，派他們上路。你可以派他們去骯髒的工業園區作推銷，他們絕無怨言。你可以讓他們去會見某個灰頭土臉的工頭、卡車司機或任何一個捲起袖子、埋頭苦幹的人，對此他們絕不會反感。如果你想在一片死氣沈沈的領地上掀起一些生機，那他們就是你的種子選手。還有，一定要給他們一些時間講講他們那些「戰鬥故事」，講講他們曾經如何完成了「那些無法完成的使命」，然後再讓他們出擊。他們會樂此不疲！

只要他們有事情做，有東西追打，他們就會非常開心。他們寧可追趕自己的尾巴，也不願耐著性子坐在那裏等事情做。不管什麼時候，你都應該讓這種欲望和精力得到最好的利用。

貴賓犬則不同，他們必須不惜一切代價保持自己的最佳形象，而這正是管理他們的關鍵所在。你要確保讓他們知道如何才能保持銷售狗當中的「領頭狗」地位。給他們一些自由去和那些「正點」的人建立起「正點」的關係，他們會做得相當出色。他們可能會非常喜愛一些小玩意，比如PDA、名牌鋼筆、珠寶首飾、名師設計的服裝和高級轎車。瞭解這種嗜好是激勵貴賓犬奮發向前的祕訣。你需要瞭解有哪些東西可以驅使你的手下走向成功，而對於貴賓犬來說，答案一目瞭然，因為他們把這些能讓自己興奮起來的東西就穿在身上，放在手邊，或招搖過市，讓全世界都能一眼看出他們的喜好！

要讓貴賓犬迎接挑戰，就得告訴他們，眼前有一個機會能讓他們真正地一鳴驚人。告訴他們，如果他們能打出一手好牌，就可以招來一大批手下供他們驅使，甚至有可能在業界以及社區當中一夜成名，也許有一天他們還可以因此出一本書呢！貴賓犬非常喜歡視野開闊的大辦公室，單憑這個，就足以讓他們為公司的事業全力以赴、創造奇蹟。

只要把他們介紹給更多的人，讓人們不斷地宣揚他們，他們的熱情和能力就會被激發出來。讓他們發表演說，並且一定要邀請重要人物前來坐鎮……他們會感受到壓力，但他們最終會發出奪目的光芒！告訴他們，他們展示得越多，他們的力量就會得到越多的認可，而他們的推銷工作就會越發輕鬆。

對於你的黃金獵犬，你要允許他們在現有的客戶身上花費一點時間，因為他們非常喜歡揣摩怎樣才能讓對方開心起來。在駕馭他們的過程中給他們一些空間，讓他們在客戶身上投入大

量時間，藉由學習去瞭解如何提供出色的服務。你要保證給他們一些時間彙報一下你的產品或服務給客戶帶來了多大的幫助，這會大大地激勵你的黃金獵犬。這種狗是你最好的後端銷售人員。他們會像個偵探一樣到處聞來聞去，尋找新的方式進一步幫助現有的客戶。這種不遺餘力的跟蹤服務能讓黃金獵犬著實小賺一筆，在最初的佣金兌現後，他們還能促成更多的交易，拿到更多的提成。

一旦他們覺得自己能夠為顧客做一些非常獨特、非常重要的事，就會完全投入其中，對顧客報以赤膽忠心。和你的黃金獵犬在一起的時候，你需要對產品和服務的不足之處非常敏感，並且要抱著負責的態度，因為他們會按照你對客戶的責任心來判斷你的誠信度。你對黃金獵犬的客戶一旦作過擔保或承諾，就千萬不要反悔，否則你會失去他們的信任，而你的銷售額也會因此遭受損失。

相反，如果你能對他們的服務需要作出積極的回應，那你的黃金獵犬會相應地對他們推銷的產品和服務表現出一種近乎狂熱的激情。對一隻黃金獵犬來說，服務的使命永無止境。

如果一個銷售項目沒有經營好，你的比特狗會毅然放棄，心裏不會有絲毫的歉疚和自責，而同樣的情況會讓黃金獵犬感到備受打擊。給他們支持，對他們進行培訓，讓他們對自己有信心，相信自己的知識和職業水準能夠為目標客戶和老客戶提供良好的服務，這樣他們就能每次都把肉叼進家門來了。

和吉娃娃在一起的時候，關鍵是要給他們充足的時間投入到產品分析、工業資料研究或地

方市場的調研中去。對吉娃娃來說，最可怕的事情莫過於客戶提問卻無法作答。在他們看來，知識就是力量，如果你讓他們在一場技術決鬥中輸給了目標客戶，那你要作好準備，很可能你將不得不把他們送往狗精神病院了。

對其他狗的馴狗師來說，吉娃娃簡直不可理喻，他們真的特別需要瞭解自己推銷的產品或服務的每一個細節。吉娃娃能把一些看似無關緊要卻沒有用處的資訊變為交易中至關重要的武器，若論這種能力，吉娃娃在所有的銷售狗中可是首屈一指的。

如果他們對產品或服務有信心，就會表現出超常的執著和頑強精神，就能把自己的論點表述得無可辯駁。有的客戶喜歡把競爭各方的特點拿出來進行對比，把這樣的客戶交給他們來對付。他們會全力以赴地投入戰鬥，而且絕對不會投降。

吉娃娃做的研究工作能讓整個狗窩裏的狗都受益匪淺。讓吉娃娃去找出產品或服務的各種細節，發現它們的優勢、特點和好處。允許吉娃娃對競爭對手進行徹底地調查，這樣他們才會更清楚自己推銷的產品或服務究竟有哪些真正獨特的地方，有哪些突出的優勢。一旦他們找到了答案，他們會簡明扼要地把這些知識轉授給狗窩裏的其他狗。這會讓他們感到幹勁十足，給他們一種歸屬感，讓他們感到自己在這個群體中的地位舉足輕重。

至於巴吉度獵犬，你要花點心思提醒他們，告訴他們一定要為這個大家庭做出榜樣，告訴他們整個家庭都要依賴他們，靠他們養家糊口。這樣的安排似乎有點殘忍，但是有時候巴吉度可能會缺乏天然的動力，需要你很友好地、不時地在背後推他一把。

你可能每隔一段時間就要推他們到辦公室外面走走，因為他們往往會一坐下來就不願意換窩了。（因為太懶！）他們喜歡捧著一杯熱咖啡蜷縮在那裏，「思考」問題。如果把他們放到辦公室或是當地的咖啡館外面，讓他們面對面地和目標客戶在一起，他們會發揮自己的能力和目標客戶建立起非常好的關係。

如果你不瞭解巴吉度的強項，那照顧他們可能比照顧其他所有的狗都要吃力。讓他們接手幾個開頭就很好的生意，讓他們明白只要他們堅持去做，一筆生意很快就能到手。要表揚他們的跟蹤能力，告訴他們你在最後階段會隨時準備給予他們必要的支持。

他們看起來就像電視劇裏播放的那個傳奇私人偵探可倫坡。可倫坡總是不討人喜歡，而且讓人有點瞧不起，因為他的樣子實在有些邋遢。可是，他總有辦法讓嫌疑犯放下戒心，自認為萬事大吉，而就在這時他會發起突襲！巴吉度和他簡直一模一樣！告訴他們，你需要一個能聞到交易氣息的人去打開更多的局面，並找出買家。讓他們去調查一下，誰在從誰那裏買東西，都買些什麼。

巴吉度還有一個特長，他們能夠在客戶表示不滿的時候安撫客戶的情緒，尤其是在服務失敗或出現問題的時候。他們那種一對一的本事和那種深深的誠信感讓人嘆服。

我認識一隻在空運行業工作的巴吉度獵犬，這個人的經歷簡直就是一個傳奇。有一次，他的公司接手了一筆價值一千五百萬美元的藥品配送業務。這種對時間要求很嚴格的商品必須在一個非常具體的時間裏被運送到全國各地，有時候送達的地點非常偏僻。結果，他所在的公司

出現了一系列可怕的失誤，幾乎所有產品都沒能及時送到目的地，有的壞掉了，有的沒有正確歸檔。在這種情況下，這隻巴吉度獵犬被公司派到客戶那裏，而客戶當時不僅已經準備好要把整個業務都交給另一家空運公司，而且正準備以貨物損壞為由拒絕付款。這隻巴吉度和客戶進行了幾次交談，而交談的結果是，他不僅挽回了這筆生意，而且還從這個客戶手中又拿到了一筆七百五十萬美元的訂單。這樣的局勢絕對需要巴吉度那種真誠和謙卑，才能處理得如此完美。

不過，有的巴吉度對貴賓犬既羨又妒，很容易因此陷入痛苦之中。重要的是要讓他們確信，他們廣交天下朋友並總能贏得信任，這些天生的本事讓他們絕對不會輸於任何一種狗。不時地安撫一下，給他們一點甜頭，能讓他們在很長一段時間裏充滿拼勁。

給他們一些額外的時間去和他們的目標客戶共度美好時光，讓他們盡情發揮自己獨一無二的本事，這樣，他們就能拿下在其他狗看來幾乎是無法拿下的訂單。

在所有的銷售狗培訓中，關鍵是要記住，對一種狗有效的做法往往對另一種狗不起作用。不同的東西會激發不同的狗，出色的銷售狗馴狗師對此深有領悟，他們會為各種狗量身制定出獨特的培養方式。

比特狗和貴賓犬喜歡當冠軍，他們會不惜一切代價實現這個目標，而對天性和善的巴吉度獵犬或吉娃娃來說，這些都是次要的。黃金獵犬的需要很簡單，就是知道有人愛著他！

看看你窩裏的狗屬於哪些品種！

戴安娜是一個收入上百萬的銷售高手，她曾經說過這樣一番精闢的話：許多銷售都是建立在人際關係的基礎上的。在最初的銷售過程中，服務是建立信譽的關鍵步驟（此時客戶是在對你進行評判），而且這對保持住客戶至關重要。服務的關鍵在於，你要持續不斷地去發現客戶的需求，這對你來說是繼續和客戶做生意、繼續推銷，並讓老客戶為你推薦新客戶的一個機會。服務就是銷售！你手下可能有某些銷售狗在銷售上總能勝人一籌，可是在服務上就比較遜色了。所以，你和你所在的機構必須明白你自己屬於哪一種狗，而且如果有必要的話，還要讓其他的狗也參與，共同為客戶提供持續性的服務。而另一方面，如果你只注重高質量的客戶服務，那你也得不到更多的訂單，你必須不斷地推銷、推銷、再推銷。

戴安娜是個道道地地的穿著黃金獵犬外衣的比特狗！

豢養訓練

任何一種狗的性情和行為大多是由其成長過程決定的。我曾目睹本性兇猛的德國洛威拿犬被馴養成了世界上最溫柔的動物，而只有手掌那麼大的小獵犬卻能把你的整個胳膊都咬下來！要想讓你窩裏的銷售狗個個都訓練有素、遵紀守法，你必須對他們所有人都進行豢養訓練，關愛他們，尊重他們。否則你要花費大量的時間，拿著頭套，帶著塑膠手套，跟在他們屁股後面

收拾殘局，甚至還要抽身去救鄰居小孩的性命！

所有的狗都需要愛撫和讚揚，只有這樣，牠們才能在成長過程中培養出良好的性情。銷售狗同樣需要這種積極的愛撫。推銷員是一群比較簡單的動物，就像黃金獵犬想讓人輕輕撫摩牠的耳後一樣，銷售狗活著也是為了得到表揚，為了讓自己得到安撫。有的銷售狗甚至願意放棄經濟上的獎勵來換取一絲名氣和一聲讚揚，他們活著就是為了要成為傳奇人物。

我從不主張在狗惹了麻煩的時候去諷刺或批評他，不鼓勵使用這種方法讓他們學會該怎麼去做。不過，許多經理人都習慣採用這種方式對待他們的銷售狗，但他們很難收到預期的銷售成果。如果使用更積極的方式，那麼效果可能會更好一些。對任何一隻狗進行豢養訓練時，你都要記住，在他沒有闖禍的時候，讓他淹沒在讚美之中，而在他闖了禍的時候，要立即糾正他的錯誤。

對待銷售狗也要這樣。當他們終於做了你要他們去做的事情時，你一定要不停地認可和讚美他們，而且要具體說明他們究竟做對了什麼。「你上個禮拜做得真不錯」，這樣的話太模糊，而且也缺乏可信度。還有，不管是表揚還是糾正錯誤，都要及時。「今天在客戶對價格提出異議的時候，你的表現非常好，你一定聽得非常認真，不然絕不會馬上作出反應，幹得好。」這樣的表揚再次強調了得到認可的技巧，而且還讓他們覺得自己很有面子，因為你對他很關注。

大多數狗對你的認同會有良好的反應，而經常挨打受罵的狗最終一定自暴自棄，不然就戰

戰兢兢。這兩種表現都不利於推銷。作為馴狗師，最糟糕的行為莫過於忽視狗的一舉一動，因為這會使他們變成懶惰、不守規矩、沒有用的狗。

我有一個客戶經營兩百多家零售加盟店。在為這個客戶提供培訓服務的過程中，我們讓商店經理們對每個銷售人員作出的成績都給予積極的讚揚和認可，結果我們發現，僅僅用了一年的時間，這些店的平均銷售額就增加了好幾個百分點。激發銷售狗天生愛贏的欲望並不需要花費太多的心思。只要對他們說：「真是隻好狗！」然後不時在他們的耳朵後輕輕撫摩一下，或者摸摸他們的肚子就行了！

要想在狗窩中起建立一種共同的信念和認識，就必須有一套所有的狗都認可的榮譽稱號、行為稱號或者「家規」。

基本家規

1. 不要在家中大小便。如果你到處拉撒，你就有責任收拾乾淨，不管當時是什麼情況。不要把你的麻煩推在別人身上，或者把它隨意堆在它不該出現的地方。
2. 不要作不必要的或無休止的吠叫、抱怨、慍怒或哀鳴。不要對他人指指點點，不要進行人身攻擊或牢騷滿腹。要負責任。如果有什麼問題，直接去找相關人士當面解決，不要在別人的背後做手腳。
3. 隨叫隨到。對你行為的結果負責。

4. 不要撕咬或抓傢俱。不要、永遠不要苛刻地批評團隊裏的其他成員。尤其不要在目標客戶或客戶的公司面前做出這樣的舉動。
5. 不要靠在傢俱上。永遠不要以不正當的方式利用他人的幫助或他人職位來圖取便利，不管對方是你的同僚，還是你的目標客戶或現有客戶。
6. 不要在晚餐桌上乞食。不要在自己成績不好時尋求同情，不要指望他人或期盼施捨。自己的飯票要自己去爭取。
7. 不要從桌上、從檯面上或從冰箱裏偷東西吃。（我弟弟的狗真的會自己打開冰箱拿東西吃！）要誠實，不管什麼事情都要堅持誠信。在任何情況下都要行為坦蕩。
8. 不要四處亂走。尊重每個人的領地，彼此之間經常溝通，瞭解可能出現的衝突或利益交迭。將注意力集中在手頭的任務上，不要進行利益紛爭。
9. 不要跳到人身上。清楚職業化的通用標準，要一致同意永遠保持這種職業形象。
10. 為所有的勝利喝彩。即使是小小的勝利也要喝彩，不管是你自己的勝利還是他人取得的勝利。

這些只是管束你手下這群狗所需要遵循的一部分規則，它們能使你手下的狗從一群各自為政的烏合之眾變為一支戰無不勝的銷售狗團隊。在面對巨大壓力的時候，一般的狗會各自逃命，而你的銷售狗會團結起來，戰勝困難。

新狗訓練

讓初出茅廬的小狗熱情地飛奔絕對是一門藝術。銷售狗如果在年輕的時候沒有得到正確的指引，長大了就會留下無窮的後患。如果一隻小狗跳到你身上，你會覺得它很貼心、很乖巧可愛，充滿了蓬勃的青春氣息。但是，如果你躺在地上，看著一隻重達一百二十磅、淌著口水的大狗坐在你的胸前，你會突然覺得這一幕再也不可愛，更別提有多痛苦了！

遺憾的是，我還真遇到過幾個這樣的推銷員。在一隻銷售狗剛剛入行時，向他們灌輸正確的行為方式相對還比較容易，而等他們習慣了以後，再要糾正就難了。是的，老狗也能夠學習新事物，但是原有的習慣卻很難拋棄。

大多數新狗不會立即馴服或是一夜之間就鬧翻天，但是通過正確的訓練，你完全可以讓他們在舉手投足之間表現出冠軍的潛質。

其過程非常簡單，如下所述。

起初給你新來的銷售小狗派發一些簡單的小任務，讓他們提早嘗到獲勝的滋味。不要一開始就讓他們去推銷。讓他們讀六篇和產品有關的文章，然後把他們從中學到的東西彙報給全組成員。讓他們讀三份年度報告，然後發表三次演說。讓他們參觀十個作業系統，然後讓他們把自己學到的東西和銷售組的人分享一下。讓他們花上幾天的時間觀察，並義務為你最好的客戶提供某些服務。

讓他們熟悉他們即將從事的這個行業。如果你推銷的是房地產，那就讓他們和建築商、承包商以及貸款人員在一起待上一段時間。如果你們是推銷保險的，讓他們去圖書館研究一下近五年的保險業發展史。找出過去一年的《華爾街郵報》，瀏覽第一版上所有和保險有關的大標題。

很多年前，我碰到了我最大的目標客戶之一，這個客戶從事的是食品批發行業。我對食品批發行業一竅不通，所以我決定瞭解第一手的資訊。我花了一個星期的時間在倉庫裏掃地板、卸貨，我對這個行業瞭解的東西比我從企業雜誌或公司概況中所能看到的東西要多得多。後來，我有幸得到了那一年度該地區最大的一筆銷售訂單。

讓他們去打電話。讓他們藉由電話調查瞭解顧客的需要。讓他們在採取行動之前至少打出二十五個電話。

扔幾根骨頭給他們。在他們成功地完成一項任務後，立即給予認可並鼓掌祝賀，或是滿懷

讚許地拍拍他們的腦袋。這會給他們動力，讓他們繼續努力，向成功的方向前進。

給你的小狗一點時間，讓他們慢慢長大。大多數經理人會把小狗扔到野外，任憑其中一些死去，而看著另一些靠自己的力量掙扎著活下來。這不僅是對時間和金錢的浪費，而且是對個人意志的不必要的折磨。大部分狗都會打獵，但是他們需要一個有耐心的馴狗師。記住，只派給他們低風險的小任務！

然後，當你的銷售狗開始成熟起來，開始撥打真正的隨機推銷電話時，他們就不會把挫折完全看成是個人的失敗。他們將具備一種意識，這種意識將帶著他們穿越暴風驟雨。動力是你的整個銷售團隊取得成功的關鍵所在。指導他們，表揚他們，自始至終對他們負責。

你總是一眼就能看得出來，一個小狗是否已經在一個很好的家庭中長大了。當你的銷售狗

準備好到外面的真實世界裏去闖蕩的時候，他們該如何去做呢?你要及早地教他們，對他們要有耐心，要尊重他們，而這樣做的回報是不可限量的，無論對你、對小狗而言，都是如此。

建設一支高效的銷售狗團隊

好了，你現在已經識別出手下的狗都屬於什麼品種了，你擁有了一批老狗，你也正在訓練你的新狗，你完全認識了狗窩裏的狗，知道了哪個是哪個。那麼接下來呢?

在你的理想中，你希望這一群狗能在一起玩耍和學習，充滿了歡樂和友愛，行為性情也都符合規矩，而現實中，許多經理人發現，他們的銷售狗在表現上達不到自己的期望值，因此感到很沮喪。通常這都是他們從小養成的壞習慣造成的不良後果，抑或是因為經理人沒有把自己的期望表達清楚。

許多經理人都犯了這樣的錯誤，他們忽視了建立優秀銷售團隊的必要性，忽視了團隊蘊涵的潛力，因為打造一支出色的銷售團隊需要付出大量的勞動和額外的耐心。有的經理人把銷售狗扔到一邊，讓他們自生自滅，結果只能是適者生存。也就是說，堅持到最後的未必是最出色的，因為這樣的環境對某些品種的狗會造成致命的打擊。結果，狗窩裏的平衡將被打破，信任和團隊合作將被貪婪和暗算中傷所取代。

我曾經目睹一些經理人採用分而治之的手段，讓所有的推銷員都不得不面對彼此之間的直接競爭。競爭是好事，但是破壞性的競爭就沒有一點好處了。因為，雖然這種手段在短期內可

以製造出許多內部動力，甚至會提高銷售額，但是它會製造太多的衝突，有時候會導致整個局面失控。最終，它將對整個團隊的形象、效率和業績造成破壞性的影響。據我觀察，凡是遵循這種模式的銷售團隊到頭來都像一群饑餓的瘋狗一樣，彼此偷偷摸摸，為芝麻蒜皮的小事爭吵不休，對群體中最弱的狗進行無情地攻擊。他們寧可包圍並吞噬一些小動物（小訂單），然後為了一點殘羹剩飯你爭我鬥，也不願意團結起來共同獵捕一頭可以讓他們好幾個星期都不愁吃的大公牛。

相反，讓我們來看看那些拉雪橇的冠軍狗團隊。這樣的銷售團隊能經受得住任何考驗，能戰勝數不清的困難，還能在遭遇嚴寒或其他不利局面時相互關照。在過去的十二年裏，我們幫助許多組織機構打造了這樣的冠軍團隊，在這樣的團隊中，每一個成員都是一顆超級明星，而整個團隊的業績也非常出色，並非是各個成員業績的簡單相加。

幾年前，我的一個客戶遇到了難以承受的壓力，他們的道德和業務水平都遭到了質疑。而在此之前，我和他們的一個銷售團隊一起工作了近一年。在這個過程中，該團隊建立了一套

非常嚴格的榮譽規範，並且經過很多的磨鍊後，團隊成員都認識到他們之間真的可以彼此信任。起初，在種種負面的壓力下，公司裏會有許多議論，說大家該跳槽、各奔前程了，而這個團隊卻始終緊密地團結在一起，在他們所負責的國家和地區內取得了破紀錄的銷售業績。他們把那種壓力看成是一次動員令，而不是四散奔逃的理由。

拉雪橇中的狗群團結一致，在困境面前保持忠誠；同樣，一個訓練有素的銷售狗團隊也會堅守自己的原則，永遠不會在隊友需要的時候棄他而去。在所有的銷售行為中，最了不起的業績總是由那些了不起的團隊共同創造的。

雖然經理人可能是毋庸置疑的領導者，但是你永遠也不要依靠鐵腕政策來統領你的隊伍，除非你能夠同時也表現出溫情友好的一面。沒有一個偉大的教練會永遠以獨裁者自居。如果雷厲風行就是你的風格，那你同時也必須學會表現出溫和的一面，讓你的狗知道你確實和他們站在同一個立場上。銷售團隊中的每一個隊員都有權在發現不當行為時予以舉報，或在恰當的時候對好的行為大加讚賞。事實上，我所見到的最好的銷售經理都能夠把手中的繩子放鬆，讓自己的狗可以放開來奔跑，但他們同時也能把繩子拉緊，讓他們避免衝撞。

如果你想激發一窩狗或是一群狗，那不妨來看看我在下面列出的這些條款，它們可以適用於任何一種團隊。我們的現場培訓課程以及系列錄音資料都對這些條款進行了更深入、更細緻的講解。

激發高效銷售狗團隊的行為準則（我稱之為「條款」）

1. 為所有的勝利喝彩！對所有參與和所有出色完成任務的行為給予積極的認可。
2. 建立規矩（家規），對違規行為果斷叫「停」。
3. 經常並及早地聽取有關所有戰果及「學習經歷」的彙報。
4. 利用夥伴間的壓力來激勵整個群體。
5. 不要試圖教豬唱歌！（詳見下文。）
6. 使用大眾化的語言，比如「學習經歷」和「戰果彙報」，不要開口就是那種拗口的公司行話。
7. 為躍躍欲試的人加油。如果你的狗當中有一隻在那裏不停地打轉，幫它加油，直到它轉出去為止。
8. 設定一些短期的、能夠輕鬆完成的任務。大多數狗對未來都沒有什麼概念。他們幾乎考慮不到晚飯後的事情。
9. 經常讓你的狗練習在壓力、對抗和挑戰的錘鍊中站立，直到他們習慣了這一切為止。確保讓所有的情緒都浮出表面。銷售狗應對異議（拒絕）的體系能系統地使銷售狗克服障礙，成功地處理情緒問題。
10. 多注意情緒上的需求，而不是有形的需求。
11. 想辦法讓他們覺得自己是在為一個更高的目標作貢獻。狗熱愛提供服務。

12. 確立並維護那些有助於打造團隊精神、家庭合作及同志關係的禮儀性的行為、活動和慣例。
13. 堅持在團隊中尋找冠軍人物和同盟者，利用他們領導團隊。
14. 堅持尋找並推舉英雄人物。
15. 當團隊在精神上或情緒上陷入困境時，想辦法改變一下環境、氣氛、日常安排或所在的地點。狗在椅子上躺得太久就會昏昏欲睡。
16. 持續不斷地把工作重點放在對精力和情緒的管理上。
17. 把他們的問題扔回去，讓他們自己解決。把肉扔回到狼群中去。
18. 使用賭輪盤式的領導技巧。誰在當時有好點子或妙招，誰就是此時團隊中的精神領袖。
19. 在關係到遊戲規則或家規的維護時，你要表現出強硬的一面，但是別忘了要一直表現得溫和（支持鼓勵），以便保持均衡的形象。
20. 知道何時協助他人，何時自己勇奪冠軍，以及何時毫不猶豫地將一切把握在自己手中。
21. 當你感覺到某些事情還在醞釀之中，或感覺到有一種想法尚未浮出水面，不妨實事求是地暢所欲言……把你看到的或感覺到的告訴大家。（儘管你可能出錯！）
22. 做一個學生，學人，學心理，學管理，學變化，還要學狗！

十、頑強的信念

——冠軍銷售狗的四種思維方式

人類似乎認為自己的大腦有著高級而複雜的構造。我們有腦皮層，有腦邊緣系統，有腦幹，應有盡有！這樣一個巨大的腦可以讓你處理稅務、記住自己的紀念日或是閱讀手邊的這本書。可是，在銷售上，有時候太老練的大腦反而會成為一種障礙。

而狗是一種非常簡單的動物，腦子也比人腦小得多。通常牠們對周圍發生的一切事情都會作出積極的反應，因為牠們不會分析太多，不會太理論化，也不會對自己進行過多的自我批評。牠們只是為了眼前的一切而活著。牠們對痛苦、快樂、愛與尊重看得很簡單，回應也很直接。

黃金獵犬在追逐飛盤的時候，腦子裏只有一個念頭，那就是成功。牠可不會對自己從前的失敗經歷耿耿於懷，想著自己曾經沒接到飛盤。牠也不會徹夜難眠，擔心自己明天是否能接住飛盤。牠只知道，現在要不管三七二十一地把飛盤抓住！

如果換成是一個人，可能來到公園的那一刻就是他感到壓力最大的一刻，他會擔心如果自

己沒抓到飛盤，別人會怎麼想；他還會琢磨如果自己沒抓到，會讓誰感到失望，他甚至可能已經開始為自己的失敗尋找藉口了！人腦有一種神奇的天賦，它能把毫不相關的事情硬是聯繫在一起，構造出荒誕的、出神入化的信念或是各種迷信想法。

有時候只要出現了不尋常的情況，我們就會得出複雜的結論，有好的，也有不好的。比如，你打了一個促銷電話，結果非常糟糕，你的介紹一塌糊塗，而對方也很粗暴。

由於我們的大腦基本上是一部尋求快樂、躲避痛苦的器官，它會四處搜索，為這類事件的發生找出一個獨特的緣由來。於是你產生了某種荒誕的聯想，比如「我今天用了新洗髮精」，你後來又碰巧經歷了一件痛苦的事情（不管是什麼事情），而且你那天早上又使用了同一種洗髮精，你會突然堅信，一切不愉快的經歷都和那種洗髮精之間存在一定的聯繫，你很可能會突然「拋棄」那種洗髮水。這是一個很簡單的例子，但是它說明了一個問題，就是我們經常會在完全不相關的東西或事件之間尋找某種關聯，然後給它罩上一件「不吉利」的外衣，而外衣下面可能是你一天剛開始時做過的事情，也可能是你和老闆之間的最後一次談話。

你的決策是否英明，決定了你的成績是否突出。如果你的決策是建立在一種錯誤理念的基礎上，那麼其結果必定會出現偏差。

所以你要記住，下一次你若是碰壁了，或是被派去完成一項艱鉅的任務，或是不得不面對一件可怕的事情，在那一刻要就事論事。把它當成是接飛盤，就像狗那樣！

你有沒有注意到，有的人似乎很厲害？好像不管做什麼，他們總是能獲得成功。在二十多

年的個人發展研究中，我一直在思索個中原因。現在我相信，這一切就是因為他們下意識的思維方式和狗非常相像。

狗都有四種基本的思維準則，這四種思維方式一旦合為一體，就能使生活各方面的情況產生翻天覆地的變化。有了這些思維準則，你也能變得很神通。

怎麼樣，感興趣嗎？

首先，第一個問題、也是最關鍵的一個問題是：「你願意真正像狗那樣思考問題嗎？」如果你的自我意識可以接受這一點，那麼我敢肯定，這會對你的銀行存款大有幫助，因為某些狗之所以能打獵，就是因為具備這些思維方式。銷售也是同樣道理，而一些人卻因為缺少這樣的思維方式，永遠也不會打獵、不會推銷。

這些思維方式都和你的心態有關，以下是你如何看待每人每天會遇到的四種關鍵局面。

1. 遭遇挑戰或逆境：面對挑戰；
2. 對不愉快的經歷作出回應：抑制負面評價；
3. 對一次成功的努力作出回應：為所有的勝利喝彩；
4. 面對自己以及自己所在團隊的其他成員：發揮個人的意志力。

要想成功處理上述四個局面，你就要遵循一套公式，而這個公式只要花幾分鐘的時間就能

學會，花幾秒鐘的時間就能運用起來，而且肯定會給你生活中的各個方面帶來積極的影響，而你可以盡情去享受更多成功的推銷經歷，享受更多的金錢、更多的健康，享受內心的寧靜與幸福。這個公式已經得到了充分的驗證，我在十五年中曾經利用這個公式幫助了很多組織機構，培養出了身價高達上百萬美元的銷售狗，打造出了冠軍銷售狗團隊，訓練出了高效的成員以及非常有靈感的領導人物，並藉此賺取了成千上萬的美金。

經證實，採用這些思維方式能使銷售額增長30％到80％，甚至還可以利用這些思維方式對未來的情況進行預測並施加影響。

1. 面對挑戰

迎接挑戰或面對逆境難免讓人心生畏懼，而且往往會讓人感到非常焦慮、不堪重負。大多數表現突出的狗都接受過訓練和培訓，因此都能夠接受非常具有挑戰性的任務。至於動力，則完全來自於他們個人的記憶庫，以往的經歷告訴他們，只要能成功完成任務，那麼隨之而來的就是回報。他們並不記得曾經的失敗，除非這些經歷曾給他們帶來過懲罰或痛苦。

黃金獵犬很可能不會讓失敗的陰影侵佔自己的頭腦。你只要看到牠那種純粹的興奮與激動的表情，就能明白牠正全心期待著成功——牠認為自己肯定能追到那根木棍。牠看到的沒有別的，只有不遠處等待自己的愛撫、款待或擁抱。牠用過去曾經取得的成功支撐自己，任由那些

失敗的經歷從記憶中散失。在她過去的經歷中，有一系列成功的回憶可以被調動起來，給牠力量去面對現在，並給她勇氣去迎接將來。

籃球界的傳奇人物麥克・喬丹總是在比賽終場結束前控球，他曾經談過自己是如何處理這樣的壓力的，他說：「我不會想太多，不會把它看得太重。」

相反，他會想起一九八二年NCAA全國冠軍總決賽最後幾秒鐘發生那戲劇性的一幕，當時他從底線起身投籃，為北卡羅萊納贏得了冠軍。他說當自己面臨重大挑戰的時候，眼前就會重現出一九八二年的那一刻，他會對自己說：「沒什麼，我以前也經歷過這樣的場面。」於是他便會鎮定下來，等待有利的時機出現。

即使你從未在同樣的情況下取得過成功，你也可以從以往的經歷中找出類似的情況，這樣你就可以從過去的經歷中獲取信心和力量，幫助自己度過眼前的難關。

摘要

眼下的情況會令你出現很大的情緒波動，而這會導致你思維遲鈍，結果甚至會讓你才思枯竭。此時，你要從過去的經歷中汲取力量。你必須學會重溫以往的成功經歷，並用來激勵當下。

2. 抑制負面評價

你要遵循最直覺的原則就是，要學會如何抑制逆境中產生的負面心理評價。

你見過哪隻狗曾為自己在其他狗面前沒能接住飛盤而傷心失落嗎？你見過哪隻狗在嘗試了一次之後就輕易放棄嗎？你見過哪隻狗生氣地坐在角落裏，責怪自己沒有接住網球，罵自己是個蠢貨了嗎？說到這裏，你見過狗捉貓的情景嗎？他們捉貓捉了上千年了，我懷疑是否有一隻狗曾真的捉到過一隻貓。可他們是怎麼做的呢？是躺在地上，用爪子抱著自己的頭，哭喊著自己的生活沒有指望了呢，還是不顧一切地去追趕另一隻貓？

逆境是生活的一部分。碰壁是生活中嘗試與反饋過程的一部分，是再自然不過的了。你要被湯燙過好幾次舌頭之後，才能確定湯在什麼溫度下喝才會最舒服。這就是嘗試！你不會因為被燙了一次舌頭，就一輩子不再喝湯，或是只喝冷湯了。

狗總是保持著旺盛的精力，總是不停地碰壁，直到牠們得到了自己想要的結果。牠們不需要什麼公式，因為這是它們的天性。

而銷售狗卻需要這樣一個獲勝的公式，以避免他們的頭腦突然崩潰。下面的幾個要點就是關於如何控制你的頭腦，如何把你的注意力集中在成功地完成銷售任務這一點上。

首先，和許多傳統的新時代個人發展計畫不同的是，我們所強調的關鍵是學會把事件客觀化，換言之，把問題的根源歸咎於你無法控制的客觀環境，把責任從自己的身上推掉。

我沒抓到那隻
貓，我的人生
永遠沒望了。

比如，你不妨這樣想：

- 目標客戶今天心情不好
- 時候選的不好
- 都是那人今天的頭髮在作怪
- 都怪資訊不靈通
- 這完全是別人自身的問題造成的

基本上，讓自己的內心保持清淨，掃除那些毒害心情的垃圾想法，這一點是很重要的。你不能因為一時的不順利，就對自己人生某個方面（比如你的生意或銷售方式）全部失去信心。一個目標客戶在電話裏拒絕了你的推銷，並不意味著你整個這個星期就都不順利，也不等於你的銷售方式有根本性的問題，或者說你本來就不適合做個推銷員。同樣，它也並不等於你的財務情況就永遠沒指望了。只有人類的大腦才能製造出這些瘋狂的想法。一隻狗連做夢都不會有這種瘋狂的、毫無根據的聯想。

你有責任心，並不意味著你要把每一件糟糕的事情都往自己的身上攬！

你要是覺得所有不利的事情都是你自己一手造成的，那你將對自己造成極大的傷害。不

過，這並不是說你不應該從自己犯下的錯誤中汲取教訓，而只是說你不要讓自己的錯誤徹底摧毀自己的健康心態。在每一個了不起的推銷員、運動員、教練員、團隊和投資者的身上，你都能看到這種處理逆境的能力。

你要負責的是你如何應對逆境，你下一步採取什麼行動，或者你如何分析發生的一切……而不一定是造成這種情況的原因何在。

甚至於你的結論或分析是否正確也並不重要！你的思維不會因此而發生變化。如果你判斷一切都是你造成的，那你的精神就會頹喪下去了；如果你把事情看得客觀一些，那你就會精力旺盛起來。記住，銷售純粹是一種精力型的商務活動，所以，只要你能保持精力旺盛，你就能恢復得更快，推銷出去的東西也就會更多。

其次，告訴自己遭到拒絕只是一次單一的情況，不要讓你的腦子認為這次拒絕會產生任何長期的影響，或存在任何更大範圍內的重要性。就事論事，一切不過是：一個特定的人對你在這個特定時間裏向他推銷的一種特定的產品或服務沒有特定的需求。

下面就是應對逆境的公式。

切記！

1. 首先，問題出現了。它必須是現實中發生的事情，比如你把大衣放在機場，上了飛機才意識到自己把它遺失了！或者一個目標客戶告訴你，說他再也不需要你的產品了。

2.你一發現出了問題，馬上就會產生某種情緒，這情緒就像一聲警告，告訴你要小心接下來即將發生的情況。

3.你的腦子裏開始出現雜音了。

4.腦子一出現雜音，你就必須趕快跳出來，問自己：「我在對自己說什麼呢？」這個問題能強迫你的腦子來回答，這樣你就能跳出來，客觀地觀察自己的心理活動。

5.你必須首先識別自己真實的情緒：憤怒、沮喪、失望等。問一問：「我現在感覺到了什麼？」一旦你明確了自己當下的情緒，就把它大聲地說出來。「啊哈，是沮喪！」你可以這樣喊出來，也可以小聲說出來，這要看你當時在什麼地方，以及你自己當時的感覺！來點輕鬆幽默的……比如，用克盧梭檢察官的那種口氣把它說出來！

6.通常不出十秒鐘，你就會發現自己開始使用一些泛泛的詞來描述這一切，比如「總是」、「永遠也別」、「每次」、「所有」或者「每一個」。比方說，「這種事情總是發生在我頭上」，或者「我永遠也別想得到它」。

7.在你發現自己開始用這種辭彙的時候，你應該讓自己停下來，克制住自己，笑一笑說：「好了！」發現自己的這些用語等於是掌握了95%的勝算，能幫助自己儘快恢復狀態。微笑可以緩解壓力，振奮自己的情緒。

8.接下來，你必須對這些泛指的詞語進行糾正，取而代之，用一些具體的表達方式，如「這一次」、「只是偶然」、「目前看來」或「在這種情況下不起作用」。

9. 然後，你要找出內心的暗示。「我」、「是我」、「我的錯」、「我怎麼搞的」、「怎麼會是我」，等等。

10. 再次對自己微笑著說：「好了！」然後想辦法把責任合情合理地歸於，或者乾脆推給客觀邏輯原因。這做起來會很有趣，很幽默！「那傢伙今天心情不怎麼樣！」「戴著那個假髮，難怪他今天不順！」「這次算我的對手走運。嘿，我們大家都有機會啦！」

11. 接下來，迅速製造一堆事實證據來支援你剛才對自己所下的結論。「我把衣服放在機場某個地方時，都累得半死了，整整旅行了二十四個小時，我太疲勞了。」或者：「那傢伙每次和我說話時的感覺還都挺不錯的，就是今天有點古怪。」

12. 最重要的一步，這樣問問你自己：「我現在真正想要的感覺是什麼？」（樂觀、開心、興奮、堅強、自信等。）這樣問自己，然後努力在現實中讓自己的內心滋生出這樣的感覺。如果不行的話，就回想一下能讓你的臉上露出笑容的某個經歷、某種聯想或是某段趣事。一旦成功了，就盡你所能把這種感覺保持得越久越好。（幾秒鐘、幾分鐘、幾小時？）這會把你全部的情緒重新挑動起來。這一步很神奇。別問我為什麼這個方法能奏效，只管去做！我對自己說：「我原本真的希望自己現在開開心心的。」我聯想到這樣一個情景，兒子班傑明在足球場上射入了他第一個進球，他的快樂瞬間爆發，兩隻小拳頭高高地舉過頭頂。我的臉上露出了一絲笑容。我讓這微笑保持了幾秒鐘的時間，期待著我的下一步行動，於是一切都過去了。

13. 在這以後，你應該告訴自己，要期待著不久的將來必有喜事降臨。於是喜事就真的來了！電話鈴響起，機場保安人員會告訴你，他們找到了你的衣服，或者你會接到一個很久沒有聯繫的老客戶打來的電話，說是想見見你。

這一切最多不過一分鐘的時間！

總而言之，如果有什麼不愉快的事情發生了，你必須知道該如何走進自己的內心，去聆聽內心的真實想法，如何把你腦袋裏的那些「小聲音」抑制住，用一種精神勝利法和自己展開對話。這種技巧對在任何一種水準上的商業銷售都能起到至關重要的影響。關鍵要擁有對待生活的必勝心態！要去享受逆境。

3. 為所有的勝利喝彩

當勝利的曙光出現在眼前時，或者在你發現任何好的情勢時，你要對成功作出反應，而這種反應是一個兩個步驟的重要過程。首先，你必須為勝利者喝彩！肯定勝利者，用一些我們再熟悉不過的肢體語言，如擊掌、握手、握拳或大喊一聲「耶！」來為他喝彩。作為一隻銷售

狗，我建議，當你自己就是那個勝利者的時候，你至少要拍一下自己的腦袋，或是在月光下大吼一聲，以示對自己的嘉獎。

這些方法能把這一刻深深地印在你的腦海裏、你的心靈深處和你的身體裏，將賦予你無窮的力量。銘記這一刻將為你完成下一個任務積攢動力。多年以來，我目睹了許多個人和團體發生的顯著轉變，目睹了許多次在執行過程中出現了良好的轉機，而這一切都歸功於持續的認可和對勝利的不斷喝彩。

如果你曾經觀看過電視上的體育賽事，或者親身參加過體育比賽，那你就會明白並且承認，喝彩是賽事中不可或缺的一部分。每次當一個球員射門得分時，當他向前突破了幾碼時，當他作出了精彩表現時，當他擊球成功或接球成功時，大家都會在他背上拍一掌，或者在他腦袋上撞一下（不建議採取這種方式），或者以其他什麼方式對他的貢獻表示認可。在NBA比賽中，若不是大家時時擊掌鼓勵，沒有哪個球員能投籃得分。同樣，也正是為了得到這樣的認可，他們才全力以赴地爭取打出好成績。在所有技巧中，這個招術可能是最有威力的，但也是成年人最少採用的，因為成年人會為此感到尷尬，覺得這種行為太孩子氣，或者太沒水準了。

幾年前，我曾經和一家海外的旅館合作。這是一家很好的公司，員工有好幾百名。我和各個部門的主管人員合作，教他們養成一種為勝利喝彩的習慣，不僅僅為他們自己取得的勝利而喝彩，還要為他們手下員工取得的勝利而喝彩。這可不是一件容易的事情，因為在許多亞洲地區，這樣的喝彩和當地的文化傳統有點格格不入。但是經過幾個月的培訓後，這種新的習慣終

於在那裏紮下了根。

整個員工群體逐漸克服了他們固有的含蓄的表達習慣，同時，旅館也漸漸地、清楚地看到了這種變化帶來的成效。整個公司機構變成了一台印鈔的銷售機器。他們合成一條繩，彙聚在一起的精力空前旺盛，在最近一次的亞洲經濟衰退中，該地區大部分旅館的入住率都徘徊在40到50％到之間，而他們的入住率高達90％以上。他們齊心協力，堅信旅館中的每一個人都對效益負有一定的責任。事實上，這其中大部分的功勞都要歸於清潔部門的員工們！他們之所以能取得如此成功的轉變，其直接原因就是能夠不斷地對出色的表現給予認可，並對勝利報以積極的喝彩，當然還有旅店上下更高的職業道德水準和無處不在的快樂心態。

你看，我們都知道如何去做。我們年輕的時候都這樣做過，我們在打比賽的時候也是這樣做的。當我們還是孩子的時候，不管做什麼事情，都有一種天生的意識去堅持、去詢問、去享

受其中的樂趣。

我認為我們都是天生的完美銷售狗。但是後來，我們漸漸改變了，我們開始說出這樣的話，比如「問人家是不禮貌的」或者「別傻了」、「別去煩人家了」、「坐那兒安靜一會兒吧」。我們所有下意識的行為，比如和陌生人說話或者隨心所欲地大喊大叫，都在我們融入社會環境的過程中漸漸地被拋棄了。

最近我遇到一位女士，她告訴我，不久前她為五歲的女兒參加了一次老師和家長的見面會，老師說她女兒在學校總體來說表現還不錯，只不過「有點過於自負」。你能想像出一個五歲女孩竟然被指責過於自負嗎？

我們就是這樣遭到指責、接受懲罰、被譏笑、被忽視，於是我們被推回來，被納入了一個「嚴肅認真」的體系，在商界尤其如此。

狗為了讓你在牠耳後輕輕愛撫，會放棄骨頭、食物，以及牠們所有的玩具。你若是對牠們給予了更多的認可，牠們就會高度興奮起來。小孩子也是一樣。一切都沒有改變，唯一改變的事實是我們成了成年人，而我們的大腦和心靈還是跟當初一模一樣。

對大部分人來說，這種喝彩的技巧很陌生，但對業績突出的人來說，這簡直是他們的第二本能。同樣，這也要求人們對內心的「小聲音」加以節制，讓自己內心的對話朝著正確的方向發展。記住，你自己對自己說的話是否正確完全無關緊要！你的身體或意識都不會因此而受到影響！對自己說出積極的話來，這樣才能讓積極的資訊滲透到你全身各處，真正能為自己去接

受這個積極的事實。

而對待成功和對待挫敗要完全相反。如果有好事發生，比如一個目標客戶同意和你見面，或你從顧客那裏得到了積極的回應，那你不僅應該像我剛才所說的那樣為自己喝彩，而且要真正地把它化為你可以利用的動力，在你自己的午餐時間裏把自己當成一個英雄來對待！

告訴自己，這一次成功會在整個星期裏給你帶來好運。你會看到，這個小小的事件能使你生活中的每一件事情都變得得心應手。

最後，還有重要的一點，就是你要把它主觀化。告訴自己一切之所以能成功，都是因為你的功勞，是你爭取來的，是你努力獲得的，你很聰明，對這些事情瞭若指掌！明白了嗎？你的精力和動力將實現空前的突破，而所有的銷售狗都明白，自己的精力越是旺盛，下一次就越有可能取得更大的成功。

你可能還沒有意識到這些，但實際上你早就已經知道了該如何去做，因為你在對待孩子、寵物，以及對待生活中的其他事情時就經常是這麼做的。當你的孩子還很小時，你難道不是對他們取得的所有成就都大大地讚美一番嗎？當你的孩子站起來了，哪怕是一眨眼都不到的功夫，在你看來，這一剎那不是具有奧林匹克般的光輝與榮耀嗎？你要是打過高爾夫的話，對這一切也不會陌生。試想，當你沮喪到了極點，已經準備把你的球杆扔到湖裏時，卻突然擊出了一杆筆直的好球，在球洞的三英尺範圍以內，或者打出四十英尺的一擊，比標準杆少一杆入洞，那你會怎麼樣？一定會緊握拳頭，像老虎伍茲一樣「噢」地大吼一聲，剛才的沮喪完全煙

消雲散了。

想想要是你能這樣看待自己的整個生活的話，那會是怎樣一番情景！你的精力以及你的成績將讓人難以置信。問題在於，有的人甚至在自己取得了一次勝利的時候，也會滅自己的威風。他們在打出那一杆球後，會對自己說：「以前那次更幸運呢。」如果他們打了一通成功的促銷電話，他們會說：「他們並不是全都喜歡我，真是太可惜了。」這樣的話無異於在自己的內心深處戳了一刀，對你的情緒和你的業績都將產生不利的影響。從現在開始，做一個精神上的英雄人物吧。

獻給經理人的骨頭：你手下那群銷售狗同樣需要你為他們的勝利而喝彩！事實上，銷售狗越是聰明好鬥，你就越是要稱讚他們，確保他們能有好的表現。如果你忽視了他們的勝利，或者只是一味地對他們較差的行為進行責備，那你的銷售狗會變得刻薄、惡毒，而且甚至某一天會對你發起攻擊。你必須及時、經常地為他們取得的勝利而喝彩，這樣才能使他們成長為了不起的獵犬和冠軍。

當我們長大成人了，開始工作並進入創業階段時，「喝彩」卻不知為何就被看成是一種很幼稚的行為。

實際上，我們得到的教誨是不要推銷，不要詢問。我們被告知，要努力工作，要聽話，要循規蹈矩，等待某人對我們所作的努力給予認可，並扔給我們一些殘渣剩飯。我們被告知：「一切好事都只青睞那些耐心等待的人。」我們學會了接受，而不是去反對；學會了回答，而不是去詢問；學會了接受我們今生的命運，而不是努力抗爭。我們任人擺佈，被扭曲著強行塞進一個釘好的盒子裏，在那裏沒沒無聞地生存下去，直至死亡。我們的地位取決於我們回答問題的能力，而不是提問的能力，而且我們在回答問題的時候是萬萬不可出錯的！

我堅信，每一個人都有一種推銷的天賦。每一個小孩都會推銷，你也會推銷，我們都是天生就會推銷的。有的人相對而言需要學習更多的技巧，有的人則需要一種全新的心態。有的已經如火如荼地在四處打獵了。下一次如果你的孩子又纏著你要東西，不要對他們說「想都別想」，相反，讓他們向你提出至少三個很好的理由，證明你為什麼應該滿足他們的需求。當你看到孩子那雙小眼睛仰望著天空，思索解決這個問題的辦法時，你應該暗自竊喜，認識到自己目前對孩子的這種訓練將為他們的未來打下很好的基礎，從而有能力去爭取一種充滿了愛、快樂以及財富的人生。這些正是他與生俱來的權利與命運。

因此，要喝彩、喝彩、再喝彩。順便說一句，狗是不需要通過派對或升職去感受到來自別人的認可或喝彩的，你只要拍一拍牠，輕輕撫摩一會兒，或在牠脖子上抓幾下就行了。

摘要

勝利是你所擁有最寶貴的商品。大多數人在思維中會很自然地把勝利大事化小、小事化無，但這無疑是熱情和精力的殺手！所以，關鍵是要學會如何發現勝利果實，把它們抓在手裏，變成自己的財產，變成自己的優勢，然後把它們保存在記憶中，為下一次的大行動積聚動力！

4. 發揮個人的意志力

掌握這個技巧對創建一支強有力的銷售隊伍或機構來說，是非常關鍵的。同時，這也是減少工作中的壓力、為個人贏得財富的祕訣。學習如何發揮你的意志力，掌控自己以及他人的行為，這將決定你最終得到的是沮喪還是財富。

讓我以狗為例來解釋這一切。當一隻狗衝出去追趕一隻麻雀、一隻貓或一個球的時候，牠的全部意志就是抓住牠！當牠們來到你面前，吐著舌頭，口水淌在你的鞋面上時，牠全部的意志都集中在爭取你的寵愛上。這是毫無疑問的，這就是牠們的企圖與意志。如果你是一隻銷售狗，並認為自己一定會讓每一個遇到你的人為你的魅力而傾倒，那你很可能會發揮得比自己

想像中還要好。可如果你認為自己一定會讓目標客戶望而生厭，或者自己一定令人討厭，那你很可能真的會變成這樣！這就是意志的力量。

你要學習如何發揮期待和意志的力量，這可以決定你最終面對的是財富還是貧困。換句話說，你期待你的下一次演說會得到怎樣的回應？他們會認為你是個新手嗎？他們會認為你真的能幫助他們找到解決問題的新辦法嗎？他們會喜歡你還是厭惡你、會認為你是個很煩人的傢伙嗎？你認為他們會怎樣認為？你的期待是什麼？

調查顯示，你所預期的結果很可能在一切還沒有發生的時候，就決定了最終的結果將會怎樣！如果你認為自己的一通推銷電話會讓對方心生厭煩，那你的想法很可能一點都沒錯。可是，如果你認為自己會成為一個受人歡迎的資訊提供者，提供給對方的將是至關重要的資訊，那你的想法可能也會變為事實。你的思維意識將預先決定你的行為結果。

前不久，我的兒子班傑明（當時四歲）遇到了一件讓他很為難的事情。我們當時在新加坡旅行，待在城裏的一家服務設施齊全的公寓裏。我們在那兒住過好幾次，因為它的室外場地比較大，而且還有一個大游泳池。另外，那裏總有許多小孩，班可以和他們一起玩耍。

這個地方還有一個遊戲室，裏面有一張撞球桌。班特別喜歡不用球杆，把撞球滾來滾去地玩。在撞球桌上玩，需要付兩個面值一元的新加坡幣，班對這個規矩很清楚。那天，他幫人家擺放、清理桌子，賺了兩元。他很興奮，因為有了這些錢他就可以去玩撞球了。

在去撞球室之前，我們下樓在游泳池邊曬了曬太陽，鍛鍊了一會兒。接下來發生的事情讓

我發現，班就像一隻典型的銷售狗一樣。當時，他看到附近有一台飲料販賣機，就跑過去買了一罐雪碧和一罐可樂。他對自己買來的東西很滿意，拿著這兩罐飲料高高興興地跑回到我和愛琳的身邊。

可我們對他說，他已經把原本要花在撞球上的錢用來買飲料了。經過了一番只有做父母的人才能聽明白的、錯綜複雜的討論後，他終於意識到自己要面對兩個選擇，兩罐飲料和撞球桌，前者和他酷愛的撞球一比，馬上就失去了吸引力。不一會兒，我突然聽到一聲巨大的撞擊聲，原來是班在試圖把兩罐飲料重新塞到機器裏，再把錢拿回來！

我們讓他冷靜點，讓他明白現在他唯一的選擇就是想辦法把飲料換成錢。他立刻有了精神，你可以看到他那藍色的小眼睛開始像雷達一樣搜索著周圍的區域，一對年輕的情侶就在游泳池邊，鎖定、瞄準！

他們逃不掉了！我直到今天都懷疑那兩個人是不是會講英語！總之，班跑到他們面前，把飲料罐放下來，接著就開始了他的推銷。我什麼都聽不到，因為離得太遠了，但是我看到的一切讓我目瞪口呆。他們顯然明白了他是在提供飲料，而且要拿飲料換錢。而且藉由班的手勢，我看出他還在解釋自己為什麼需要這筆錢。起初，那兩個人搖了搖頭，但是班要賣出飲料的意志是不容拒絕的。

從外表上看，他既沒有畏懼和猶豫，也沒有擔心別人會覺得自己傻傻的，他有的只是一定要把飲料賣出去的單純意志。我遠遠地看著，不禁啞然失笑。好棒的一隻銷售狗啊！班有一種

思維意識，這種意識讓人無法拒絕他。終於，我看到那兩個人把兩枚珍貴的硬幣遞給了他，我簡直不敢相信自己的眼睛，而同時內心又感到非常驕傲。班甚至還主動幫他們打開飲料罐，這樣他們就可以馬上享用了。（頗有點黃金獵犬的風範。）

班手裏拿著硬幣，蹦蹦跳跳、興高采烈地跑了回來，很高興地把自己的戰績講給我們聽，而他身後的那兩位顧客正開心地喝著飲料呢。

這就是意志力！他絲毫不懷疑自己能夠將東西賣出去。

這件事情已經過去了好幾個月了，如今班仍然保持著自信。他將堅持、堅持、再堅持，因為他知道自己遲早能找出我們的弱點，而我們遲早會答應他的請求。所有的孩子都是天生的銷售狗。

獻給經理人的骨頭：個人期待與他人意圖

你對自己手下的狗有著怎樣的期待？不管你是否有所表露，那種期待都會以某種形式表現出來。你對一個人的表現抱著怎樣的判斷與期待，也將預先決定這個人所能取得的成績。如果你把手下的銷售狗按照獲勝的潛力從一排到第十名，結果會如何？如果你把某人排在第三或是第四位，就意味著你已經在某種意義上把他預先鎖定在這樣一個水平上了。這會在你的管理方式和態度上有所表露，也會在他們取得的成績上有所反映。

不幸的是，我們當中有很多人在學校中都有過類似的經歷。老師在我們頭上逐一貼上了看

不見的名次標籤。你頭上貼著的名次是多少？你相信這個評價嗎？你給自己貼上的名次又是多少呢？它現在還對你有幫助或是有傷害嗎？一隻銷售狗很少能超越主人的期待值。所以要留意你對他人的判斷和期待。

我在空運公司工作期間，手下有一個推銷員，長期以來，其他的廠家和熟人大多認為他是一個讓人頭疼的傢伙。可是他和我的關係非常好，而且在很短的時間內，他在我們面臨競爭最激烈、任務最艱鉅的一個城市裏達成了銷售額成長一倍的好成績。我一直對他說，我知道他會取得成功，甚至在他哀涕、號啕的時候，我也是這樣激勵他。過了一陣子，他的抱怨消失了，取而代之的是歡呼和喝彩的尖叫聲，總能見他從一個小勝利走向另一個小勝利，喜訊不斷。

這是一個很簡單的例子，藉由這個例子，我們可以看出一名優秀的馴狗師會對銷售狗產生怎樣的影響。上文提到的那隻銷售狗曾因為某些個人舉止問題，使很多人疏遠了他。他做的每一件工作都表現平平。他從一個工作崗位流落到另一個工作崗位，淪為一個流離失所的人。

我接管他之後，立即對他展開了全面的再次培訓。我們首先認定了他是一隻喋喋不休的吉娃娃，他的尖叫把所有人都惹毛了；接下來，我們訓練他掌握黃金獵犬和巴吉度的技巧和本領。他有著吉娃娃與生俱來的快捷思維，如今再加上溫文爾雅的談吐以及對服務的投入，他最終成了該地區最富有的推銷員。我們為他取得的成績喝彩，對他付出的努力給予認可，而且我還告訴他，我知道他能賺到大把的鈔票。換句話說，即使其他人塞給他一份報紙讓他另謀高就，我依然會信任他的能力，其結果不言自明。

獻給經理人的精華骨頭

正如你的意志會影響到你的銷售業績一樣，你對手下的銷售狗的判斷與期待也將阻撓或督促他們取得非凡的成功業績。你對他人、對自己以及對自己所採取的行動都抱有一定的期待。如果是對他人的期待，那你的期待值將懸掛在那個人的額頭前方，而且會在很大程度上決定他將取得的成績。作為一名馴狗師，最重要的就是不能讓前任經理加在他們頭上的這種束縛影響你對他們的判斷。一些最不得志的狗最終卻成長為最好的獵犬，原因就是牠們的新主人或新馴狗師對牠們寄予了全新的期待，並讓牠們對自己產生了一個全新的認識。如果你把牠們看成是冠軍，牠們就必然會達到你的期待值，成為冠軍。

十二、狩獵訓練

——銷售狗取得成功的五大技巧

多年來，有一個經典的論題總能在銷售會議上激起熱烈的辯論，或在公司飲水機旁引發大量的爭議，也曾經激發了無數的靈感，而在這些靈感的作用下，大批書籍紛紛面世。這個論題就是：「偉大的銷售人員究竟是天生的，還是後天培養出來的？」

有一種觀點認為，如果你缺乏果斷的自信去撥打推銷電話，或面對他人的拒絕，那你在這一行裏就走不了多遠。另一種觀點則認為，每個人都能推銷某種產品，這完全取決於你是怎樣的人，你可能擅長推銷某些東西，而對推銷另一些東西則缺乏天分。

這場辯論的歷史和銷售行業的歷史一樣悠久。而我個人發自內心的看法則是：每一個來到這個世界上的孩子都學會了如何去索取他想得到和需要的東西，起初僅僅是為了生存，後來則是向他人索要愛、關懷和擁抱，再後來，他們會提出要玩牌、玩電子遊戲，或在週六晚上用你的車！

每一個孩子都會推銷，你也不例外，我們都是天生會推銷的人。我相信每一個人都有推銷

的天分。

不過在後來的歲月裏，我們要不斷地去適應周邊環境，不斷地去經歷生活的艱辛，在這個過程中，我們逐漸失去了這種天分。有的人缺乏最基本的決策力，不會說「不」，而我們大多數人都受到了這些人的影響，認為銷售是萬惡的。這些人害怕被人操縱和利用，所以他們把每一個敢於從事銷售的人都想像成貪圖金錢、道德敗壞的大騙子！

對於「我們是否天生就會銷售」這個問題，大家回答起來也會受到同樣的影響。我相信我們都是天生的、了不起的推銷員，但是，我們進入成年期後便逐漸喪失了這種天賦，我們當中有太多的人一定是壓抑了潛意識中原本就已經具備的這種才能。

也許確實不是每一個人都能夠推銷每一種東西，不是每一個人都能推銷投資專案，不是每一個人都能推銷商務機器，但是基於你所歸屬的銷售狗的品種，一定有某些東西是你能夠推銷的。

現在，你瞭解了自己所屬的品種，知道了如何去識別其他人都屬於什麼品種，也知道了如果想要避免麻煩並賺到錢應該遵循哪些原則。那麼你已經準備好了，可以進入個人演變的下一步了。

要想成為你理應成為的頭號贏家，你必須掌握幾項能使銷售狗取得成功的基本技巧。

一隻小狗如果不能完成基本動作，如坐下、原地待命、打滾、接受指令、搜索或裝死，它就無法得到任何人的認可。這對銷售狗來說也是一樣。

對所有的銷售狗而言，若想成為一名了不起的獵犬，就必須掌握以下五個技巧：

1. 掌握推薦藝術；
2. 發表有說服力的演講；
3. 激發為他人服務的欲望；
4. 把握個人市場行銷與銷售公式之間的關係；
5. 掌握應對批評或拒絕的技巧。

好的銷售狗不僅強壯、有責任心，而且最重要的是能夠「像狗一樣簡單地看待」一切事情。記住，即使是一隻絕頂聰明的狗，其智商也只相當於一個五歲的小孩。五歲小孩在參加兒童遊戲時可不費什麼心思！銷售狗的那些小技巧和兒童遊戲一樣簡單，但最終卻能成就非凡的業績。

換句話說，銷售絕對不是航太科學那樣高深的學問！

1. 掌握推薦藝術

人們之所以懼怕推銷，頭號原因便是懼怕「冷不防的電話」，那何不就此避免呢？

丹・甘迺迪是上個年代一流的行銷人員之一，他曾就這個專題出版了六本著作。他有句話

說得很好：「人家為什麼想和一個根本就不認識自己的人說話呢？」

狗相當會察言觀色，大概前後不出十秒鐘的時間，牠就能分辨出一個人是敵是友。一旦牠嗅到了一絲臭味相投的氣息，牠的尾巴就會開始搖起來，口水也流了下來，而且牠會馬上向這個新認識的朋友湊過去，希望得到一點愛撫！

狗在想和人親近時是不會去等待一份正式的邀請的，牠們隨時隨地都在結交新朋友。不過，了不起的銷售狗非常擅長藉由介紹結交新朋友。

貴賓犬能夠在各種聚會上與人閒談，並完全憑藉直覺來建立人際關係網；比特狗能夠在市場上扮演敢死隊隊員，對任何目標發起轟炸和阻截；其他狗在涉及微妙的推薦藝術時表現得都比較含蓄。共有四種推薦方式，第一種是最好的一種。以下列舉的推薦方式是按照其優劣性自高至低排列的：

1. 朋友讓目標客戶打電話給你。貴賓犬的魅力所在；
2. 朋友告訴目標客戶，你會打電話給他。黃金獵犬會覺得這種方式比較輕鬆；
3. 朋友告訴你該打電話給誰，並允許你告訴對方是他或她建議你打這個電話的。巴吉度獵犬和吉娃娃會覺得這樣比較舒服；
4. 朋友給你一個名字、任意一個名字！這對比特狗來說就足夠了。

這種介紹關鍵要包括針對個人的認可，即對你的積極的評價，而不僅僅是對你提供的產品或服務作出積極的評價。這種介紹不必像論文一樣高深，也不必像一篇傳記一般詳細，只要為你說句好話就行了！「約翰是個好人。」「你應該聽聽莎莉怎麼說，她對自己的事務真的很在行。」「我信任保羅，他很坦率。」

類似的簡單一句話往往能起到非常關鍵的作用，因為它能讓對方覺得你值得信任，並且一開始就對你表示尊重。推薦能否成功，其祕密就在於此，就像鬆糕裏的發酵因數一樣，沒有它們，推薦照樣行得通，但是效果就大不相同了。

基本上，人們總是願意和自己喜歡的人以及自己信任的人做生意，產品或服務往往被擺在第二位。如果你已經預先被定位在「喜歡的」和「信任的」一類人當中，那你成功的機會就會大大提高。你不再是那個搖尾乞憐的狗，或那個讓人望而生厭的討厭鬼了，你已經成了一隻有著高貴血統的銷售狗，接聽你的電話已經成了一件有價值的事情，而聽你說話也別具一番意義了！

我有一個朋友在房地產業工作。他找到了一些低於市價的房產，準備把它們重新推向市場以賺取利潤，而這需要注入大筆的資金，否則就無法買進這些房產。據我判斷，迄今為止他從來就沒有為此印製過手冊、進行過電話推銷，甚至沒有利用過報紙或雜誌上的廣告。

然而他另有絕招，這就是他手中的投資商名單，這些人都是他多年來經人介紹而結交的。他根本不用去接近素不相識的冷面孔，就把這個項目賣給了投資商。他和他的妻子非常富有，

與幾個孩子住在一起，擁有一個非常漂亮的家。他們的成功和他們的業務完全建立在熟人推薦的基礎上。

我個人光從演講和培訓費用方面，就可以賺進幾十萬美元，而這些業務中有90%是經人推薦來的。我在廣告和促銷上投入了上萬美元，可是和我的另一種投資相比，這項投資的回報可不怎麼樣。這裏所謂的另一種投資，就是確保我現有的客戶對他們接受的培訓結果感到滿意。

實際上，最根本的推薦人就是你自己的聲譽。你的聲譽好壞是不言自明的。

在你現有的顧客身上投入一些時間，這種舉動的回報率要比其他的高出十倍。經常和他們溝通，確保他們對你提供的服務感到滿意，確保一切運行正常，這樣你得到的推薦才能如滾雪球一般越滾越大，

你應該要去跟鮑伯談談，他是最棒的！
©EINSTEIN

直到你的業務多得接都接不過來。

沒有一個成功的直銷人員不清楚推薦的重要性。如果你能夠為他人提供培訓、輔導和鼓勵，並使對方的錢包塞得鼓鼓的，那人們自然會找上門來。

我有一個非常好的朋友，他通過直銷推銷一套教育專案。他提供的培訓是當地最好的，因而贏得了極高的聲譽，結果人們蜂擁而至。大家都知道，他能給自己提供必要的工具，幫助自己獲取財富，不僅是經濟上的財富，還有感情以及精神上的財富。他的業務空前發展，註冊客戶以每月上千名的速度不斷遞增！

推薦與見證

對那些身體裏流著比特狗血液的人來說，如果你打定主意要去纏住某個人，那你要保證這個人不是你的目標客戶。他還不認識你，即使有人幫你推薦，不用多久，推薦帶給你的優勢也會被你沒完沒了的叨擾所抵消，結果你會和其他狗一樣，又扮起了惹人生厭的食腐動物角色。

不要這樣，相反的，你應該去纏住那個承諾要推薦你的人，因為他已經和目標客戶建立了和諧的關係，同時他也認識你了，而且，如果幸運的話，他說不定還很喜歡你呢！另外，既然他已經答應推薦你了，他會覺得自己有義務履行諾言。

你要不停地提醒他，告訴他如果他能把你推薦給一個人，你會多麼感激他。你可以很隨意地督促他：「你打電話給某某了嗎？」、「要不我把他的電話號碼給你？」、「我不想直接打

電話給他，除非我知道你已經先和他通過電話了。」

作為銷售狗，你要培養一種請人推薦和尋找推薦人的意識，這樣你就再也不用對陌生人作推銷了。但是你要記住，尋求幫助和糾纏不清只是一線之隔。你要悉心經營自己的推薦管道，細水長流，注意不要污染了水源。如果他們覺得你討厭，又怎麼會把你推薦給他們的朋友呢？

不過，銷售狗培訓中的一個重點是，一旦你能熟練地把握住人們所屬的品種，那你就能利用相關資訊來促進你與他人之間的交流，用他們的語言來打動他們。

例如，假設你有個客戶叫約翰，是一隻貴賓犬，你想讓他做你的推薦人，把你推薦給一個新的目標客戶：史蒂夫。那你要提醒約翰，如果他向史蒂夫提出這樣的建議，史蒂夫會對他如何地心懷感激，而且史蒂夫會因此在將來的某個時候與他建立起絕佳的商務關係。

相反，如果約翰是一隻吉娃娃，那上述方法就絕對不會激發他的熱情了。這時候，你需要利用他的求知欲。告訴約翰，從一個用戶的角度來說，史蒂夫確實需要瞭解一下你提供的產品或服務的特點和用途，而且據你所知，沒有什麼人比約翰更在行了。你要指望約翰來幫助史蒂夫找到一種絕佳的產品，而這種產品對史蒂夫的業務絕對有幫助。如此一來，約翰漸漸地就會感覺自己儼然是一名專家了。

一旦你認定了人們的品性屬於哪個類別，你就可以按下他們所對應的具體按鍵了。這將帶來一個三贏的結果：你贏了，因為你得到了推薦；接受推薦的人贏了，因為你將為他提供有價值的產品、服務和幫助；推薦你的客戶贏了，因為他在作推薦的過程中擁有了良好的自我感覺。

如果你的客戶為你作了一次卓有成效的推薦，你也應該給他一份切實的回報。這回報可以是一張簡單的答謝卡、一束鮮花、一本書或者一頓招待午宴。而你能給出的最好的回報就是以恩報恩，把他的業務推薦給一個好客戶。

如果你剛剛起步，有時可能很難透過推薦找到一個好客戶。這時，你需要發掘一下自己最近的資源，讓一切運作起來。讓你的老客戶、朋友或熟人幫你寫一些熱情洋溢的推薦信，在信中對你表示滿意並給予支持。

如果他們太忙了，那你可以自己把推薦信寫好，讓他們過目，然後讓他們簽名。接下來，當你想聯繫一個新客戶時，就把這些推薦信複印一份，給他寄去一份合適的推薦信作為個人介紹。如果可能的話，選出一些將來有可能和這個人產生業務聯繫的人，請他們幫你發推薦信，比如由經營類似或相關行業的人簽發的推薦信。雖然你並不是由他認識的人推薦而來的，但你是由你認識的人推薦來的，這也會增加你此次推銷的可信度。而且你在證明你已經為類似的人提供了良好的幫助。

不過，你要小心，推薦信如果利用不當，反而有可能損害你的形象。幾年前，我和妻子想買輛新車，我們來到了所在地區的寶馬車經銷商那裏。推銷員很快拿出了一本厚厚的筆記本，上面都是他自己及其公司的推薦信。他把本子就那麼往桌上一扔，說：「這是我的顧客對我的評價。」我和妻子相視而笑，心想這本子裏可能永遠也不會有我們給他寫的推薦信了。他不該這樣使用自己的推薦信。

另外極其重要的一點是，你要為接受推薦的人提供更深一層的服務與承諾。這對黃金獵犬而言是很自然的事情，然而對比特狗來說就是一個很大的挑戰了。如果你的客戶或是朋友把你推薦給了某個人，你必須確保和目標客戶合作愉快。不宜採取強硬的推銷手段或給對方施壓，否則對方會把壓力很快轉給當初推薦你的人，而這個人以後再也不會把你推薦給任何人了。

相反，如果你提供了一個出色的方案，能滿足別人推薦給你的目標客戶的需求，那你很可能得到了一個重要的推薦人，他也能夠把你推薦給更多的客戶。而此時，推薦信的作用就顯得舉足輕重了。「我經人推薦找到了他，這是我所碰到的最幸運的事情了。我強烈建議你也去找他。」

你在向這個目標客戶推銷時又能有多大難度呢？把筆遞給他，你就可以看著他簽支票了。事實上，人們並不願意浪費時間四處採購，也不願意面對一大堆的促銷活動。他們寧願透過朋友推薦，讓朋友幫自己找到一種產品或一種值得信賴的解決方案。當他們和你開始交談的時候，你就已經打破了那層懷疑與不信任的厚牆壁，而他們也能夠清楚地聽出你所提供的產品或服務的價值。

順便說一句，有了見證人或推薦信，你就可以海闊天空了，不必非得是名門望族的嫡系傳人，也不必非得要具備皇家血統。每一隻銷售狗都可以擁有屬於自己陽光燦爛的日子。如果過去你曾經給他人帶來無盡的喜悅，不妨花一些時間把自己取得的這些戰果記錄下來。這一點是非常重要的，不要塵封你曾獲得的偉大戰果，讓你的那些客戶幫你寫幾份推薦信。你可以經常

回憶他們對你的盛讚之詞，把這些話都寫在紙上。許多客戶都傾向於你自己起草推薦信，只要你能把起草的信件送給他們過目一下，讓他們在你寫的東西上面簽個名就行了。

如果你是個新手，你可以利用你所在的公司、你的銷售經理或你這個行業手中的推薦信。雖然這些推薦信的影響力不如針對你個人的那些推薦信，但是它們同樣可以奏效。不過，目標客戶也可能根本就不會去讀這樣的推薦信。

羅伯・齊歐迪尼在他的暢銷書《透視影響力》當中曾經提到了影響人們決策的六個基本的心理原則，它們是互惠、連貫性、社會認證、喜好、對權威的尊重以及物以稀為貴的心理。

如果你建立了堅實的推薦網路基礎，你就自然而然地迎合了上述三個頗具影響力的原則：你證明了其他人同意你是出色的（社會認證），你證明了人們喜歡你（喜好），而且你還證明了你對自己從事的事情很內行（權威）。你手中的資料增加了你的信譽，而且讓目標客戶在還沒有和你見面時就覺得你是一個有聲望的、舉足輕重的人物。

不知道該去哪兒找推薦人嗎?去問問你最好的客戶。如果你剛來到一個新的銷售區域，那就和過去的長期客戶聯繫一下，問問他們是否知道有什麼人會在你經營的新區域內需要你的服務。你的客戶和朋友當中可能會有一些交際甚廣的人，他們往往會迫不及待地想把你拉入他們的圈子裏來。他們明白，自己也曾經有過這樣從零開始的經歷。

記住，銷售是一種有關個人能量的商務活動。你構建的網路越多，你就越有可能讓事情運作起來。

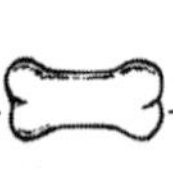
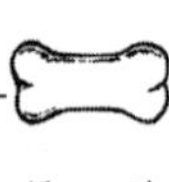

骨頭：永遠別跳到陌生人的身上。和基礎銷售培訓課程中給出的建議正相反，我們建議你永遠也別讓新客戶把自己推薦給任何人，你要等到他們對產品或服務非常熟悉了，並確認他們感到滿意了才可以採取行動。剛開始就讓他們把你推薦給別人，很可能會讓他們對此次購買行為感到懊悔。他們會以為你唯一感興趣的就是推銷，而不是鞏固和他們的生意關係。

大骨頭：千萬、千萬不要忽視現有的客戶。他們是巨大的資源，能給你帶來更多的銷售額、更多的推薦管道。

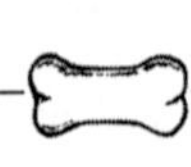

發表有說服力的演講

眾所周知，在人們談及推銷時所面臨的十大恐懼中，演講甚至比死亡的排名還高。不過，如果你想當冠軍，你就必須掌握這種技巧。和生活中的所有事一樣，如果你做了別人不能做或不願做的事情，那你得到的回報將是不可估量的！

我的生活和我賺取的利潤都是基於我個人對上述事實的認識。面對一百個人講話所產生的影響，要比只面對一個人講話產生的影響大得多，在你介紹產品、服務或商業機會時尤其如此。今天，在我所從事的教育產業中，我所達成的銷售交易中，有90%都是在我發表講話或舉辦座談時通過與眾人交流而獲得的。

我當年推銷電腦時，是所在地區舉辦座談最多的一個推銷員，同時也是銷售額最多的推銷員。我很少上門推銷，而是通過信箋、傳真和報紙廣告宣傳我個人舉辦的「讓你耳目一新的一小時免費座談」，透過座談來進行推銷。這樣，所有的與會者就會知道我是誰了，然後我才會打電話給他們。

更重要的一點是，因為我是發言人，我在他們眼中就成了一名專家，而我的建議就有了更大的分量。

這種產品資訊、教育機會和免費獲取的休閒活動，會讓與會者感到一切都非常有價值，而且也使我在此後不管做什麼，都具備了一定的信譽和權威性。

瞭解如何做好這件事對你來說非常關鍵，否則你就會變成另一隻流浪狗，在深夜裏嚎叫哀鳴。良種狗能將獵物吸引過來，然後用魅力、心思和力量將其收入囊中。

有的銷售狗看到這裏就打退堂鼓說：「哦，我就是不會在人群面前講話。」我對這種話的回答便是：「那就馬上去學！」擅長演講是你所能擁有的最有用的銷售工具。如果你無視它的作用，你的收入就會受到影響。另外，如果你是一隻真正的銷售狗，一旦你學會了銷售狗的講

話方法，你就會為之狂熱！我可以保證。

在眾人面前滿懷自信地談笑風生，不僅能幫助你樹立自信心，而且還能使你成為一名公認的權威人士、一名領導者。你會成為一個人人都願意找你說話的人，因為你是專家，你是那個能為他們答疑解惑的人。領導者擁有權威，不管他是不是一個真正出色的領導。當你接近一個目標客戶時，一定要認識到這一事實，這種認識具有極高的價值。

遺憾的是，大多數人在演講和陳述時都是喋喋不休的吉娃娃，滿嘴全是像「位元」和「位元組」等術語，不然就是說起話來枯燥無味、顛三倒四、囉唆個沒完沒了的巴吉度，再或者就表現得像一隻自我陶醉型的貴賓犬，賣弄著自己的可愛之處和那些小聰明。大多數目標客戶不出片刻就會感覺到乏味，過不了幾分鐘就失神了。要想成為一個出色的演講者，你必須掌握多種技巧，從每一個品種的銷售狗那裏學習他們最出色的本領。你還必須學習重要

的言談技巧，以抓住自己的聽眾。

有的人說，你只要讓15％的聽眾產生興趣就可以了。這是胡扯！你的目標應該是每一次都能吸引住100％的聽眾，讓在座的每一個人都有興趣和你作進一步交流，願意從你這裏訂購產品或服務，希望從你這裏獲取更多的資訊，或者你的演講至少要能激發他們的興致。

以下就是你需要做到的事情。

贏得聽眾

你是誰？為什麼你有別於他人？要想作出生動的演講，關鍵要學會如何迅速、輕鬆並不容置疑地贏得信譽。有時候，深入發掘一下你的過去就能夠找到寶藏，在你所有的聽眾心裏注入信心與尊重。這是要告訴人們，你對自己正在談論的主題非常內行，絕非吹牛。

尋求回應，而不是一味灌輸

我的一個朋友有句話說得相當好，「銷售不是灌輸」。大多數演講者都要花費大量時間向人們灌輸自己手頭成堆的資料，而不是停下來讓聽眾摸清楚資料的來龍去脈，並向人們解釋清楚這些資料將給他們帶來哪些確切的利益。銷售是一門藝術，你要透過提出正確的問題來激發人們的興趣，引導他們去探討，與他們建立和諧的關係，並真誠地表示你對目標客戶非常在意。而面對一群人完成這些目標，需要採用一種特殊的藝術手法。信不信由你，人越多越好辦。

認可他人

發表一場有影響力的演說，關鍵是要讓與會者通過積極的或間接的方式參與其中。一旦實現了這個目標，你就進入了一種工作對話狀態，可以和聽眾進一步開始探討、建立關係並激發他們的興趣。你必須知道如何以及何時對你的聽眾進行認可，什麼時候要邀請他們給大家講講他們的經歷，用來提高銷售的可能性。如果沒有這樣的互動，整個演講和陳述就會變得枯燥無味，變成一言堂。演講若是差強人意，那聽起來就像是在拉贊助，結果很可能適得其反。一次有技巧的、精心發表的演講和陳述，可以讓你賺進成千上萬的鈔票。

點明並直面難言之隱

只有自信勇敢的銷售狗才能做到這一點，而這麼做能使你得到巨大的回報。你有沒有注意到，訓練有素的狗在饑餓或是需要出去走走的時候，絕對會讓你明白它們心裏在想些什麼?牠們實話實說，沒有費多少力氣。

出色的演講者應該能夠感覺到房間裏的氣氛和人們的精神狀態如何。一旦察覺到有疑問、困惑、疑慮或者任何負面的情緒，就不應該粉飾太平，而是要馬上直接點明問題所在。

「我察覺到，大家對我所說的一切仍然持有一定的疑慮。有誰願意說說，對我剛才提供的資訊都有哪些想法？」於是，房間裏的情緒被調動起來了，而聽眾那種被丟在一邊的感覺也會逐漸消失。這個技巧非常重要，因為你等於是在別人提出質疑之前，自己先把這種反對意見提

了出來。有太多的演講者都錯誤地逃避這樣的交鋒，結果失去了聽眾。

聆聽

對銷售行業來說，聆聽顯然是一種關鍵的技巧，可是很少有人善於聆聽。狗的聆聽能力至少是一個普通人的二十五倍。小樹枝突然斷裂的聲音、五十碼外的一隻野兔穿過灌木叢的聲音、一扇緊閉著的房門後傳出來的開罐頭的聲音，所有這些都別想逃過狗的耳朵。銷售狗也應該有著這樣一雙耳朵。

在一場演講中，關鍵是要從頭到尾注意聆聽與會者有哪些話要說。在這個過程中，人們自然傾向於儘快揣摩出對方的意圖和對方想要提出的問題，然後在心裏準備好一個答案。雖然這種能力很讓人羡慕，而且效率頗高，但這也恰恰是大多數人不是個好聽眾的根本原因。當你在心裏開始琢磨著如何對答時，你就已經停止了聆聽。和狗一樣，你的大腦不能在同一時間裏進行太多的工作。當某個人正在講話的時候，如果你注意聆聽，不去琢磨什麼巧妙的回應，就會出現如下兩種情況：

第一種情況，你會和正在講話的這個人建立起一種親密無間的聯繫，因為對方能察覺出你在有意無意間對他的話都給予了高度的關注。

第二種情況，你將聽到一些非常有價值的資訊，瞭解到這個人就當前談論的主題所產生的想法或關心的一些細節問題。不管是什麼交談，最重要的評論總是會出現在他所說的最後幾句

話當中。如果你已經「失神」了，你將錯過真正的銷售機會！在這些重要的反饋當中，你可以領悟到對方提供的線索、暗示和內心深處的想法。而正是這些珍貴的東西，能使你在顧及客戶需求時提出切實的問題。聆聽還有助於你和對方建立一種更加信任、更加尊重的關係，而這種關係將推動對方作出積極的購買決定。

提問並懇請對方提問

不管你是在眾人面前發表演說，還是針對一個人進行訪談，都必須不停地提問並鼓勵你的聽眾提問。正是這個過程激發了目標客戶的興趣，促使演說者和參與的聽眾建立起積極的聯繫，並推動工作對話正式開始。一旦從一場演說入手，那提出約見或會談就比較輕鬆了，因為一切都成了你們此次對話的一個簡單自然的延續，一個新的章節，而不是一本新書。

把產品特點轉化為針對個體的獨到之處

每一種基本的銷售培訓課程都會告訴你，顧客會判斷你的產品或服務有哪些好處，然後才會在這個基礎上作出購買決定。他們永遠不會去購買產品或服務的特點，除非這些特點能和他們的需求聯繫起來。

不要把你的全部時間都放在羅列成堆的產品特點和技術名詞上。如果你認為所有人都會主動把你力求向他們證實的產品特點及其個人需求聯繫在一起的話，那你就犯了一個致命的錯

誤。把這兩者聯繫在一起是你要做的工作。你必須對他們點明！你每道出一個聲明、每提到一個特點、每闡述一個項目時都必須做到這一點。比如，「這份保險單具有不斷升值的潛力。這對你很重要，因為你將來可以從這當中免稅借款，這樣你每年就可以減少納稅的錢，同時你的實際收入也不會受任何影響。」

我們開發了一種獨特的銷售狗演說綱要，在我們的現場座談會和銷售培訓工具包中都有這個綱要，它在每種狗的主要強項的基礎上再提供具體的技巧和策略。這可能是你所需要的最好的東西了，它能幫助你培養一種能力，在作銷售演說時吸引、激發、鼓動目標客戶，讓聽眾為你的表現大聲讚歎，讓人們把你當做他們唯一的採購管道。我已經目睹了人們在我眼前的「轉變」，而一切都是因為他們試用了這些新的演說技巧。

另外要記住：你不必一開始就大刀闊斧！從小處著手，逐漸磨練你的技巧。

3. 激發為他人服務的欲望

即使是最兇猛的狗，也天生有一種為人服務的欲望。讓狗來做盲人的助手，訓練狗協助員警調查，這些都是明智的選擇。經過訓練後，狗被用來搜救落難的遊人、尋找遺失物品、傳遞重要信箋，甚至去安慰老弱病殘。狗效忠主人，這與訓練有一定關係，但更主要的原因是它們與生俱來有一種服務他人、取悅他人的欲望。

比特狗、小獵犬以及其他實幹型的狗的強項是建立新的領地，探索全新的、有潛在危險的

邊疆。而黃金獵犬的強項很簡單，也很有威力，它有一種取悅主人的天生欲望。黃金獵犬銷售狗把高水準的服務奉獻給他們的客戶和目標客戶，他們可以不惜一切代價為他們的客戶提供服務，他們的熱情讓目標客戶很難對他們說「不」。當比特狗需要奪取一次交易時，黃金獵犬的工作方式則完全不同，在某種程度上，他們的客戶會覺得自己有義務把訂單交到他們手上。

黃金獵犬知道，大部分狗也都知道，忠誠是有回報的。狗以其對主人的至誠而著稱。我們都聽過許多故事，講述這些犬類朋友如何保護老人、搶救小孩，有時候甚至為挽救主人的生命而不惜犧牲自己的生命。

這種取悅他人、服務於他人以及保護他人的欲望，在每一個偉大的犬類夥伴的身上都是與生俱來的。了不起的銷售狗如想成功，就要學會伸著舌頭低聲哀訴，還要耐住性子氣喘吁吁地等待下一次可能出現的、為目標客戶服務的機會。

我有一個很成功的朋友，他是丹佛的一個房地產經紀人，他曾經說過這樣一番話：

我之所以關注客戶服務，主要有如下幾個原因。首先，我需要從自己的所作所為中找到一個突破點。我不是「擅長行銷、擅長在氣勢上壓倒對方」的那種類型的房地產經紀人，我在首次購屋者身上下了很大的工夫，在他們面前做個黃金獵犬對我來說很輕鬆。我發現，大部分買屋者、賣屋者對房屋買賣的方式都太無知了。許多經紀人只要把房子賣出去，就根本不願意再理睬其他事情。我發現如果我能關注客戶服務，那我就有更多的途徑與過去的客戶保持聯繫，這

樣他們就會把我推薦給更多的人。

比如，我會給他們成交檔的影本，（這樣他們就不用費力地去找這些檔了。）他們在辦理稅務問題時可以把這些檔交給會計師。我還為買屋者和賣屋者各準備了一個筆記本。上面有我辦公室的照片和簡介、貸方資訊、個人介紹、個人聯繫方式等，還有行銷技巧、我的書面客戶服務綱要、合約影本、純費用帳單、房屋購買或銷售程式，等等。我發現買屋者似乎最喜歡這個手冊了，每次我們碰面的時候，他們都把它帶在身上。我想，基本上我是一個願意和老客戶保持聯繫的人，而且我能把這些變成業務來源。大多數客戶都會對我說，我更像是他們的一個朋友。

需要聲明，這位朋友正是一個非常成功的黃金獵犬銷售狗。

銷售需要你花費一定的時間和精力，去發現某人真正需要的是什麼，然後再想辦法來滿足這種需要。我曾目睹許多一度成就非凡的推銷員，他們最初創下了相當好的銷售額，擁有出色的技巧，對產品和行業瞭若指掌，但是後來卻失敗了，因為他們拿到訂單後就再也不過問了，缺乏持續服務的能力。隨著銷售額的下降，他們開始變得垂頭喪氣、無精打采。可悲的是，他們沒有去改正自身存在的問題，而是繼續去尋找其他公司或產品，或者乾脆前往另一個銷售領地，而結果只不過是重複了這種經歷，最終仍然要面對心痛的結局。對純種比特狗來說，這是最大的風險之一。這些鬥士們很難意識到，銷售本身只不過是個開始，而絕非客戶關係的終

我是您忠實
的僕人！

結。

我記得有個叫弗雷德的傢伙，他非常有抱負、非常聰明，不管什麼人都會被他迷倒。他在一家很有名的大公司推銷保險，第一年他打破了公司所有的銷售記錄，他簡直是太棒了。

但不知為何，到了第二年，他的銷售業績一直徘徊不前，再來就開始直線下跌。他努力扭轉頹勢，使出了渾身解數，花費了大量的時間，但似乎再也不能重振雄風了。在此期間，其他人都從老客戶手裏拿到了越來越大的保單，而他沒有從老客戶那裏接到過任何業務。他對自己的處境非常沮喪，他認定問題出在保險行業上，於是決定再換一個行業，以為這樣就可以再一次創造輝煌了。

在一個好朋友的幫助下，他得到了一個非常搶手的直銷機會。他的銷售額和往常一樣再次出現了成長，但是過了幾個月後，他又回到最初的情況上停滯不前了。不過這一次，他的主管用心花費了一定的時間對他進行了觀察，並給他作出了相應的指導。

主管問他：「你在現有的客戶身上一般要投入多少時間？」弗雷德的回答很具有代表性，他說：「我投入了足夠的時間，讓他們對這個項目有了充分的瞭解，然後我就去尋找更多的新客戶了。」弗雷德的問題在於他把銷售重點完全放在了推銷上。他最關心的是自己能賣出去多少、能賣多快。

他很少抽時間去關照那些曾經接受推銷的人，他在保險業做的時候也存在同樣的問題。事實上，回顧自己在這兩個行業中的經歷，他幾乎記不起為什麼那些客戶會接受自己的推銷了。

弗雷德很幸運，他的主管恰好是一個非常出色的馴狗師。他給弗雷德安排了一個任務：回去和每一個曾經從他手中買過保險的客戶談談，和每一個購買過他所推銷的產品的人談談，問問他們當初為何接受了他的推銷，他們認為產品具有怎樣的價值。弗雷德很生氣。「這樣會沒完沒了的！我要是光做這些，那就永遠別想再拿到新訂單了！」不過，最終他還是妥協了。

過了幾個星期後，他又坐到了主管面前，這一次可是夾著尾巴來的。這已經是一個全新的弗雷德了。

他瞭解到，一個年輕的家庭在努力維持生計、為將來作好打算的過程中所經歷的苦痛與希望；他瞭解到，一次簡單的行銷機遇如何讓他的客戶從一貧如洗的人，搖身變成了腰纏萬貫的富翁。在此期間，他發現了大量的資訊，聽到了很多真知灼見，還得到了很好的推薦信。這些故事一直都在那裏，只是他從前根本就沒有抽出時間去聆聽。

從那以後，弗雷德的銷售額突飛猛進，而且他也建立起了自己的直銷公司，其利潤以百萬計的速度不斷攀升。他和自己所有的銷售商在一起進行例行培訓時，告訴這些人一定要想辦法為客戶服務。即使你的產品派不上用場，也要幫助他們想辦法實現他們的目標和願望。他最喜歡的一句話就是：「相信我……我們的服務通道就是你的快速通道！」

誰說比特銷售狗不會學習新竅門！

對所有的銷售狗來說，關鍵是要問他們想為誰提供服務，為什麼要為這些人提供服務。不管你的客戶需要、渴望或期盼得到什麼東西，你都必須心甘情願地鑽過鐵圈、跳過木墩、渡過

河流和小溪，把那個東西拿來送到客戶手中。

有很多次，我為了照顧客戶真正的需求而失去了自己的訂單。儘管失去了訂單，但我卻從沒失去那些客戶，而且那些一時的損失都被後來的大訂單彌補了。一切都是因為我願意為滿足他們的需求而服務。這絕對是需要激情的！黃金獵犬對此理解得最為透徹。

我曾經接觸一家目標客戶公司，這個公司想開展一些項目管理培訓，主要是針對他們的一些經理人。我辦了好幾次長時間的座談，準備了幾份詳盡的建議書，並和他們交換了意見，試圖滿足他們的需求。後來，我發現我顯然不能提供他們真正想要的那種培訓項目。

我告訴他們，雖然我非常希望達成這筆交易，想辦法為他們提供培訓，但是我實在無法達到他們的要求。在接下來的幾個星期裏，我和其他有可能為他們提供這種培訓的人逐一進行面談。我旁聽會議，打了好多電話，最終提供他們十幾個可供選擇的培訓商。他們最後從我推薦的人當中選定了一個合作夥伴。

那家公司從沒忘記我所提供的服務。一年後，他們打電話給我，說公司的另一個部門需要進行一種團隊建設培訓，問我是否感興趣。我當然有興趣了，而且這一通電話給我帶來了一份正在履行中的、價值八萬美元一年的合約。迄今為止，合約已經執行了五年了。

銷售的定義不僅僅是讓某人前來購買，還是讓某人的生活在某種意義上得到改善。這就是服務！

獻給銷售經理的骨頭：要想激發你手下的銷售狗的鬥志，你就必須不斷地提醒這些小狗去關注他們為別人提供的服務，要儘可能地強調其重要性。你必須觸動他們的心，這樣他們才能同樣觸動目標客戶的心。只有在這個基礎上，你才能做出有意義的決策。

4. 把握個人市場行銷與銷售公式之間的關係

最有價值的推銷技巧可能就是如何有效地把自己推向市場，這樣你就根本不用去推銷了！如果你是隻比特狗，你最愛做的就是在自己領地上來回逡巡，尋找任何生物做獵物，而推銷自己完全背離了你的天性。你的行銷方式是拿起電話或直接走上門去，所以，你很可能現在就要跳過這個章節，連看都不想看下去。

但是，對其他的銷售狗來說，也包括目前可能有些好奇的比特狗們，要想少工作、多推銷，推銷自己就是改變生活的訣竅！如果你學會了一點貴賓犬的本事，你可能會發現，得到如此巨大的回報是一件多麼輕鬆的事情。

早些時候我曾經提到過，在推薦過程中最重要的一點是，如果運作得當，你就再也不必和一個還不認識你的人說話了，這被稱為高級行銷。下面就是它對你的銷售所能產生的影響，有

這樣一個非常簡單的公式：

S／M＝推銷所付出的努力

（S＝推銷，M＝市場行銷）

這是一道簡單的算術題：你所做的市場行銷越多，你必須付出的努力就越少。如果你目前在推銷和行銷產品或服務上花費了同等的時間，而接著又決定在個人市場行銷上花費兩倍的時間，那你最終將節省一半的精力！你在行銷上付出的努力的質量越高，你在銷售上需要付出的努力就越少。目標客戶會舉起手來四處找你，而你也不用再循著氣味去尋找他們的蹤跡了。

推銷所付出的努力不僅耗時耗力，而且還充滿了挫折，並需要出色的個人能力和良好的時間管理能力。市場行銷是把你的資訊傳播給最多的目標客戶，而且你根本不需要事必躬親。只需開展一整套的行銷策略，對其進行檢驗並予以實施，銷售機會就會自動找上門來，你也不再需要一味地去追尋這些機會了。

你打了多少通推銷電話並不重要，要想接觸到盡可能多的人，最好的辦法莫過於在一本針對你的目標市場的商業期刊上作一個醒目的標題報導。同樣，一天被點閱成千上萬次的網站也是無與倫比的宣傳管道。

對上面的數學公式不太明白的人可以看看另一個公式：

S（推銷）×M（市場行銷）＝$結果
（把在「M」上投入的時間加倍，把在「S」上花費的時間減半！）

對你來說，關鍵是要學會如何平衡安排一周的時間，花多少時間對目標客戶或客戶進行面對面的積極推銷，再花多少時間通過你個人的市場行銷努力開拓一條推薦管道。如果你是一隻聰明的銷售狗，你應該把時間充分投入到你的市場行銷策略上。從根本上說，這是一種讓銷售機會找上門來的藝術。也許更重要的是，在此過程中機遇轉變成銷售額的機會將得到增加。

遺憾的是，有很多野性未馴的銷售狗就是喜歡去任意追趕某個移動的物體。他們花大把的時間去追逐那些難以捕捉的目標客戶，結果抓到的沒幾個，自己也累得筋疲力盡。最終等待他們的只有少得可憐的收入和滿懷沮喪、憤懣的情緒。

你完全可以擁有一種輕鬆快樂的銷售生活，但是要實現這一點，你必須學會如何有效地進行市場行銷！

想想看吧，洛威拿犬和杜賓犬根本不需要別人介紹，只要一百三十磅的肌肉和尖尖的牙齒一露出來，每個人都會由此產生一種期待、一種看法和一瞬間的反應。這種形象有利於牠們扮演護衛犬的角色，但是在普通的目標客戶看來，牠們可是太讓人膽戰心驚了！

當你走在路上時，一旦迎面碰到這樣一隻具有潛在致命危險的大狗，有多少次你會立即走到馬路對面、避免和牠正面衝撞？你的目標客戶也是一樣的心理。如果你一看上去就比較好鬥，那他們永遠也不會主動來找你。實際上，他們會對你避猶不及！

你的目標客戶是如何看待你的呢？你不僅要對你的產品或服務進行市場行銷，你還要對自己進行市場行銷。你想讓人們對你有個良好的印象，你希望他們會這樣想：「這就是能幫我解決問題的那個人。」

正因如此，銷售狗才必須花大量的時間對自己進行市場行銷。

好的市場行銷，比如廣告或網站上的鏈結、商務期刊上醒目的頭版頭條，或者和你提供的服務有關的一本暢銷書，所有這些都能幫你推銷出大量的產品，這可是你挨家挨戶上門推銷所達不到的。利用影響成千上萬人的大眾傳媒，你等於是在敲這些受眾的門。除了這些媒體之外，你還可以利用其他的發言人、商務機構、組織團體和任何一種實體，只要他們的受眾人群中可能存在潛在的客戶，你就可以利用他們讓大家有效地瞭解你的資訊。

開始你要列出一個清單，把潛在的、可用來傳遞產品及個人資訊的途徑都一一列出來，然後投入一定的時間開拓這些途徑，接下來，銷售機會就會自動出現了。

其次，你要確保自己向公眾發佈的資訊都能給某人提供一個極具說服力的理由，讓他不得不打電話給你，或不得不表示出一定的興趣。這應該是一份服務宣傳，你必須在宣傳中提出，如果他們和你聯繫的話，是會有所回報的。這回報可以是一種特別提供的服務，可以是一份絕佳的保證，可以是一份不可抵擋、但又貨真價實的聲明或主張，也可以是一種獨特的建議。

一個簡單的例子就是在廣告中宣傳一次免費的諮詢服務，或者限期打折，或者在客戶經由電話和傳真與你聯繫、成為你的會員或提出進一步諮詢時，為他們提供一份高級產品的「免費特別介紹」。

你要牢記，這些宣傳和你所在公司已經為你做過的全球市場行銷完全是兩碼事。這種宣傳更加個人化，是更直接的市場行銷，不僅能讓人們注意到你的產品或服務，還能把他們直接帶到你面前。

市場行銷只是讓你的目標客戶在你打推銷電話給他們之前，對你以及你的服務產生興趣並有所瞭解。由於他們的興趣被挑動起來了，你離遊戲真正開始之時也僅有一步之遙了。要想起步，你還要嘗試下面這些途徑。當然，除此之外還有成千上萬種起步的途徑：

- **與其他已經和你的目標客戶建立了聯繫的個人或公司建立合作關係；**

- 發送推銷信件；
- 在期刊雜誌以及其他印刷媒體和網站上刊登醒目的標題報導，以及獨特的銷售簡報；
- 做廣告；
- 主動參加業界活動；
- 對團體以及目標客戶發動傳真突襲；
- 舉辦商品展；
- 舉辦免費的指導性座談會；
- 參與並贊助社區活動；
- 找人做你的見證人和推薦人。

問題在於，大多數銷售人員都不願意投入必要的時間、金錢或精力來做市場行銷。他們寧可採用一些卑微的途徑，做一些耗費體力的工作，或者一味等待公司為自己做市場行銷。那些不會或不想對一種服務或產品做市場行銷的人，永遠也無法進入現金流當中的B象限，因為要實現這一目標，你必須擁有去嘗試、去犯錯、去改正錯誤的意願。

要像狗那樣思維。四處嗅嗅，聞出普通人的鼻子聞不出的東西。如果你鼻子不好，那就和鼻子好的人或者與獵物待在一起的人合作。這就是市場行銷。

當我還在電腦業的時候，曾經接手一處銷售區域，那裏有相當多的客戶多年來一直使用自

動記錄機。我知道，要想一一拜訪這些客戶恐怕要花上好幾個世紀，所以我想辦法認識了這個區域中的安裝工程師馬薩，他負責所有這些機器的維修和保養工作。馬薩是個了不起的傢伙，他在這個區域已經工作了二十五年！

我和他每週一早上都一起喝咖啡，聊聊這些用戶的情況。經過多次交談，我們擬定了一份計畫。他每見到一個用戶，就很隨意地在他們面前提到現在有一種新設備面世了。他會向他們指出這種新設備能給人們帶來哪些好處，包括較短的下載時間和較低的維護費用。這樣，等我來到他們面前的時候，他們就對我的產品有聽聞了，並十分渴望進一步瞭解。馬薩已經為他們熱了身，他們隨時都可以出發了。

不到一年的時間，我就幾乎把所有這些陳舊的設備都替換成了最新的電腦。在長達兩年的時間裏，我所在的區域都是全美銷售額排名第一的區域。原因很簡單，我在市場行銷上投入的時間多於我在銷售過程中投入的時間。馬薩也是一個大贏家，因為新的服務合約給他帶來了額外的佣金收入。我們建立了一種市場行銷夥伴關係，這種夥伴關係使我們兩人都成了贏家。

5. 掌握應對批評或拒絕的技巧

一個銷售人員面臨的最大障礙和挫折當然就是拒絕。沒人喜歡被拒絕！我們都希望得到別人的喜愛和接受，所以拒絕可不是一般人樂於接受的。

狗也喜歡得到愛與接受，但是當你沒有時間和牠玩飛盤的時候，牠不太會放在心上。作為

一隻銷售狗，你必須學會做出同樣的反應。我會在後面的章節中和你詳細探討如何應對拒絕，但是這裏先讓我們看看其中一些要點：

1. 目標客戶對你的拒絕不是問題所在。真正的問題在於你對拒絕所做出的情緒反應。一旦你能在面對最尖銳的批評時不產生任何情緒，那你非凡的頭腦一定能夠輕鬆地處理這種局面。問題在於，拒絕通常會激發我們人類最原始的畏懼感，並導致深層的情緒和心理波動。交際中的經典原則指出，當你處在一種高度負面的情緒中時，你的智商會變得極低。你是否曾經在生氣的時候說出一些話，而事後又後悔不迭？你是否讓某人氣得話都說不出來，而幾個小時後當你冷靜下來，又覺得一切都沒什麼大不了的？我說的就是這個意思。

2. 在怒火中燒的時候保持冷靜、鎮定很容易，只是通常沒有人就此指點過你。起初你要透過不斷重複來消除自己的情緒化反應。

3. 當客戶或目標客戶在大發脾氣時，你必須學會理解他們那些話語背後的真實情緒。一旦你做到了這一點，他們的批評就會逐漸消失。

4. 另外還要認識到，每一種批評有一弊必有一利。比如：批評之弊可能是，「這棟房子裏的廚房太小了！」而其利就是，「我們把廚房做小點，是為了讓起居室和娛樂空間再大點。這樣當你在娛樂的時候，人們就會走出廚房，來到房子裏的其他地方。」

還有另一種技巧曾經讓我和許多其他的銷售狗受益匪淺，這就是「魔杖」法。當你第一次與一個新的目標客戶面談時，或者當你面臨著太多批評意見時，你可以這樣問：「如果我能夠揮動魔杖改變這裏的一切，你最想要的是什麼，或者什麼東西在你看來是最好的？」這個簡單的提問為我們不斷地創造出新的途徑去獲得各種可能性、製造各種機會。

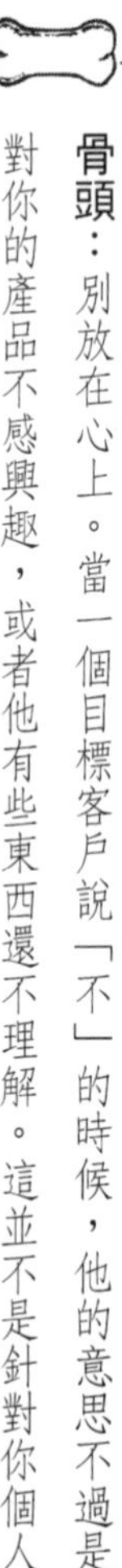

骨頭：別放在心上。當一個目標客戶說「不」的時候，他的意思不過是說他目前對你的產品不感興趣，或者他有些東西還不理解。這並不是針對你個人的評判。

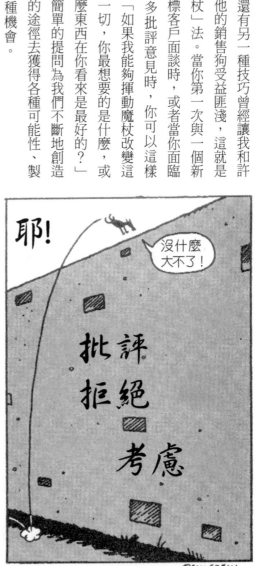

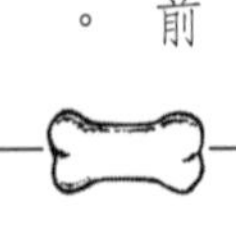

十二、控制銷售狗的情緒

管理那些熱情洋溢、表現出色的人絕非易事，其中部分原因就是這些人做起事情來往往會感情用事。

銷售狗在工作中承受著巨大的壓力。管理階層對他們的期待、夥伴間的競爭、強烈的好勝心，還有經濟上的壓力，所有這些加在一起就會形成一個很強大的、情緒化的氛圍，控制這種氛圍需要一定的技巧和深謀遠慮。

你有沒有見過一隻平常很溫順的狗突然在房子四周走來走去、悶悶不樂，一看到什麼能動的東西就大吼大叫？銷售狗也一樣。作為一隻出色的銷售狗，你必須知道如何激勵自己，尤其是在你希望整個世界都停頓、希望自己能逃離一切的時候！

你必須知道生活就是喜憂參半的。也許有時你只想對著月亮大吼，有時你恨不得把某人的耳朵咬掉，還有的時候你想要做的就是去遊戲、去追逐。至於狗，關鍵是不要鼓勵負面的行為。而對於你和你的銷售狗，關鍵是要知道如何對付你自己以及你手下那些銷售狗們所產生的一系列情緒波動。

控制情緒是每一隻銷售狗都必須學會的最有價值、最關鍵的技巧。我所見到的任何一隻出色的銷售狗、任何一個出色的行動者、任何一支出色的團隊或任何一個成功的個人，都是承受過壓力之後才變得異常出色！只有在壓力之下，人們內在的力量才能被激發出來，個人的信心和能力才會空前高漲。壓力是一束引領成功的雷射，它能把你提升到一個全新的層次，讓你的神經網路把「我可能」、「我能」、「我必須」和「我做到了」緊密地聯繫在一起，最終給你帶來非同一般的機遇。

永遠不要害怕壓力。沒有壓力，就不會有輝煌成就。

壓力是自然演變的途徑，是新結構建立的途徑，是我們個人、團體以及整個人類文明的成長途徑。壓力並非總是那麼可怕，並非總是讓人避之不及；它也並不總是痛苦的，只要你懂得了如何應對壓力。

不管結局多麼有利，如果你不知道如何應對壓力，那你面臨的壓力就會讓你坐立不安，讓你不堪重負。如果你是一個顧問、一個主管、一個經理或是一隻銷售狗，當壓力對你個人或你的團隊造成損害時，你必須想辦法及早地釋放壓力。

不及時釋放壓力，銷售狗就會產生偏執的（認為公司是在利用他們）、負面的（對同事和客戶言行粗魯刻薄）或沮喪的（悶悶不樂、缺乏主動、彷彿世界末日來臨一樣）情緒。

作為一隻銷售狗，你要在採取下一個行動、尤其是銷售行動之前，對這些情緒好好地分析一下。如果聽之任之，這些心事就會成為你工作中的障礙，並將逐步積聚成沮喪、憤怒和絕望

的情緒。在這個行業中，能否成功取決於你是否擁有樂觀向上的心態，因此，上述這種消沉的情緒將對你的銷售生涯產生災難性的影響。如果對這樣的情緒不加以控制的話，它將瀰漫整個狗窩。

你不能強迫某個人或你自己高興、樂觀起來，但是人有一個絕對優勢，就是我們可以控制自己的情緒，我們能夠找到獨特的、有創造性的途徑對我們的感受產生積極的影響。

如果你情緒低落，要迅速改變你的狀態。如果你正在經歷一個情緒低落期（比如「沒人喜歡我」、「公司在壓榨我」、「我可幹不了這個」等等），那你就要制定一個策略，讓自己行動起來，讓自己能夠取得一些小的成果。比如，去拜訪一個不錯的或是已經在使用你的產品和服務的用戶；和已經喜歡上你以及你的服務的人聊聊天，去拜訪他們，和他們待上一會兒，你甚至有可能在此期間抓到一兩個推薦人。你會發現，你的情緒和精神狀態很快就發生了變化。

再來點體力活動，去跑上一大圈或者去趟體育館！到海邊坐坐，再次與大自然親密接觸。把所有你最喜歡的歌曲翻錄在錄音帶上怎麼樣？活潑的舞曲能讓你振奮起來，令你感覺良好。在你去拜訪客戶的路上邊開車邊播放音樂，邊跟著錄音帶一起放聲歌唱，找點享受、練練嗓子。過後你會驚奇地發覺自己的精力是多麼充沛，渾身都充滿了力量。發揮你的創造力吧。

當你處於高潮狀態中，當一切似乎都進展順利，你就步入正軌了。這時，你會發現錢在不停地流入你的口袋中，人們主動向你敞開大門，每個人都願意聽到你的消息或瞭解你的產品。這個時候你要撥打更多的電話，充分利用這個賺大錢的階段，給你能找到的任何人、每個人打

電話。你會驚訝於自己的效率以及在這段時間內積累的銷售額。

要抵制誘惑，不要在取得一兩次勝利後就退到幕後休息，你將因此而失去動力，而要想重新找到動力將是非常困難的。如果你總是要從一個起點上不斷地重複開始自己的銷售行為，那你就要比一直保持活躍狀態花費更多的精力，永遠別讓它停下來。保持前行，盡可能長地延續那些高潮狀態。

獻給經理人的骨頭：作為一個銷售狗經理人，你需要運用大量的策略和技巧來幫助你手下的狗進入一種更健康、更豐富的思維模式。主人若總是批評自己的狗，或是從發生意外後就一直對牠們數落個沒完，那最終面對他的必將是一群惡毒野蠻的動物。面對手下的銷售狗，你一定要迅速行動，點明問題，然後放手！不要讓你的怒氣或是沮喪久久不散，否則你只會把事情弄得更糟糕，而他們則有精神崩潰和喪失忠心的危險。

當你一發現有跡象顯示你的銷售狗正在鬧情緒，你就要把他們拉到一邊，鼓勵他們把自己的想法講給你聽。通過他們的反應，試圖確定他們實際的情緒是怎樣的。你往往需要透過他們

最初反饋給你的資訊，作更進一步的探察。記住我們在前面所說的聆聽原則——從頭到尾聽仔細。你很可能會發現，真正的問題要等到談話行將結束時才會浮現出來。如果你自認為已經瞭解到了問題所在，失神了、去琢磨如何解決問題了，那麼你很可能就沒有聽到他們所說的真正的問題是什麼。

「你今天看上去和往常不大一樣啊，莎拉，你似乎有點不開心。」「你看待事情好像比往常更消極了。」通過這種途徑，你可以確定對方的情緒，而且可以很自然地喚起他們的情緒。（在治療當中，顧問會向你提出完全一樣的問題。）這種確認本身就表明你關心對方，表明你意識到他們的行為發生了變化。

當他們把自己的心事說給你聽時，你要抵制誘惑，不要下意識地給他們提建議，不要對他們的想法作出評判或勸解。你要做的很簡單，就是聽他們說，明確他們面臨的問題，告訴他們你能夠理解他們在這種情況下的感受。在他們對你敞開心扉以後，問他們一些具體的問題，幫助他們找到一種積極的解決辦法。

「最近你有哪些事情一直很順利，莎拉？」「什麼事情不順心？」讓他們說說所在區域的最新動態，他們上午聯繫業務的進展情況，或者他們所在行業出現的最新發展動態。但是注意不要把氣氛弄得像是一場有二十道考題的考試，別讓他們感到自己低人一等或是正在遭受攻擊。這種訓練的目的只是讓你的銷售狗考慮一下具體的事情。

當我們面臨糟糕的局面時，我們會像上文中提到的那樣，傾向於使用一些泛指的表達方

式，如：「沒有什麼事情順利一點。」「這都是一場災難。」如果你能提出一些具體的問題，就可以改變人們的想法，讓他們看到實際上事情並非「總是」這樣，而是「有時候」才這樣。接著，如果你能進一步杜絕「有時候」的話，那你就能改變自己的行為方式，避免沮喪的情緒了。這也相當於一次自由討論會，而往往就是在這種討論和反饋的過程中，問題的解決辦法就自然而然地出現了。人的精力就會轉移到更積極的層面上，於是情況會突然柳暗花明，而爭取成功的行動計畫也就制定出來了。

藉由這種辦法，我們從「一切總是這麼糟糕」轉而認為「實際上，我沒在二十四小時以內把提議提交上去，而只有在這個時候才會出現這樣的事情」。於是如何解決問題就一目瞭然了，而且你也有了將來可以用來核對總和衡量個人行為的一套體系和策略。

仔細聽他們訴說，然後和他們一起制定一份爭取成功的計畫。重要的是，要把「將來的勝利」分解成小的、便於實現的多個目標，這樣他們就可以以正確的心態重新投入到工作中去，並在整個過程中採取主動，而且感到是他們自己而不是你讓一切煥然一新。

和狗一樣，銷售狗在面臨許多事情時也很難集中精力。如果你把木棍扔給狗，狗會把它撿回來，木棍會讓它們不再打盹，精神為之一振，因為撿木棍讓牠們覺得很好玩。要想進一步轉移它們的注意力，你可以在牠們正把第一根木棍往回撿的時候再扔出去第二根。這會讓牠們在頭腦裏完全拋開了最初面臨的問題。此時很可能會出現這樣的情況，牠們會把第一根木棍放下，去追趕第二根木棍。

這就是為什麼對你這隻銷售狗來說，關鍵是要迅速開展一些有趣的、輕鬆的行動計畫，把自己的注意力從目前下的兩難境地中轉移出來。一旦你的頭腦恢復了積極的狀態，你就可以準備出發，重新將世界掌握在自己的手中了。

下面是幾個能振奮銷售狗情緒的行動方案：

- 在報紙上找出三篇文章，證明目標客戶在生活中取得財務自由具有相當的重要性。
- 從過去的客戶中找到四個人做你的推薦人。找出你在他們的生活中所留下的積極影響，並以此為榮！
- 去找兩個用戶談一談，問問他們為什麼持續使用你的產品或服務。

如果你面臨的只是一個無關緊要的小煩惱，那就把它丟在一邊。但是，如果你注意到自己的行為出現了消極趨勢，那麼你最不該作出的選擇就是無視這種情緒的存在，試圖把它藏起來，或者假裝沒事，盼望它自己消失。鬧情緒是好事，它提醒了我們這樣一個事實，那就是：我們還活著！是情緒讓我們激動、讓我們亢奮。作為一名馴狗師，對精力的管理是其取得成功銷售業績的關鍵所在。當精力旺盛時，銷售也會同樣興旺起來。這種道理也可以有效地應用在客戶、目標客戶或顧客的情緒轉變上，如果銷售狗能夠逐步巧妙地振奮目標客戶的精力，那他就能成為一隻勝利的狗。

關鍵要明白：是你自己選擇了當下你想擁有的情緒。在任何特定的情況下，你所選擇的情緒將使一切變得不同。想法不能決定一切。情緒的力量更大。

假設你走進一個房間，看到兩個人正在爭論著什麼。你不知道發生了什麼事情，但是你可以感覺到房間裏的那種氣氛：「整個氣氛都僵硬了」。你身邊的人看到的就是這樣的場面。所以，雖然那種微妙的情緒並沒有被說出口，但你必須真正地意識到它們的存在。

你想要怎樣的感覺呢？憤怒、沮喪、興奮、堅定還是樂觀？你喜歡從別人那裏感受到憤怒的情緒嗎？那麼消沉呢？一個人需要把話說出口才能讓你感受到他的消沉嗎？或者說，在他隻字不提的情況下，你能與他心靈相通嗎？

情緒是在你的專注中產生的。當你把注意力轉移的時候，你的情緒也就隨之發生了轉移。當你有必要轉移自己的注意力，使情緒向著對你有利的、而不是和你作對的方向發展時，你可以嘗試著這樣去做（實際上只需要一兩分鐘的時間）：

1. 在這種局面中，究竟什麼因素是你真正不喜歡的？把它說出來，要具體，只說一句「遜斃了」可沒什麼用！
2. 然後把注意力集中在你想要的東西上。把它說出來。把注意力集中在你確實想要的東西上，直到你看到了、感覺到了、聽到了、甚至對著它微笑了的時候為止。就是這樣。儘可能把這種感覺保持長久，盡可能重複這個過程。記住，你不一定非要做出一個行動計

畫，才能得到你想要得到的東西，你只要別把注意力總是集中在你不想要的東西上，而是去關注一下你想要的東西就可以了。

如果只是完成第一步，那很簡單！你很可能每天都在這麼做。也正因為我們總是這樣想著自己不想要的東西，才導致我們得到更多我們不想要的東西。第二步才是最重要的一步。

最近，我必須向一個非常大的客戶做一次簡報，涉及合約金額高達三十萬美元。我當時十分緊張和擔心，因為我認為客戶不會有興趣的，儘管我覺得這對他很有利。我很煩惱，就和我的妻子、同事以及我自己抱怨個沒完。簡報做得不是很好，這讓我很生氣、很難過。我很清楚自己不想要的是什麼。一般情況下，我們會任由沮喪停留在心中，最終不得不掙扎著面對自己的結局，而這結局最多不過是自我安慰而已。

不過，我當時選擇了改變自己的情緒，把注意力集中在我想的東西上。我要和客戶開誠佈公地討論一下，而不是做一次正規的簡報。我想要的就是和他進行一次真正的交談，談談他的需求以及我對他的真誠的建議，和這個客戶建立一種新的成熟的關係。當我想像著我們交談的情景，感覺這種新型關係將給我們帶來的美好前景時，我不禁偷偷高興了起來。一切都會非常美妙的！

一天後，我做完了簡報，和客戶的關係也得到了改善，開始熱烈地回顧我們之間的交談。那一次以後，我和他簽訂了一份價值比從前高出兩倍的合約。

如果我當時抱定了一種疑慮、沮喪、戒備的情緒，那就永遠不可能和客戶建立新的關係。我把注意力重新集中在我確實想要的東西上，回頭去爭取我想要的結果，而最終我果真得到了！

在銷售業中取得成功之所以讓人感到刺激，部分原因就在於人們知道這其中必將經歷一些高潮。記住，要鎖定這些高潮，把它們更緊湊地串聯在一起。當低潮來臨時（註定是要來臨的）你只需簡單地把注意力重新集中在你想要的東西上，履行行動原則，採取任何一種行動，只要能把你儘快地從低潮中拉出來就行。這樣就可以縮短低潮的持續時間，使你重新振奮起來。

骨頭：作為銷售狗，我們當中大部分人都是以金錢為動力的，否則我們就會到地方的政府部門去做一個行政助理，每年加薪1％！而目前我們的收入有著無限增長的可能，這讓我們深受鼓舞。但是，鼓舞我們的真是金錢嗎？還是我們想用金錢來購買的那些東西？在你為自己的推銷設定目標時，要把自己關注的那些錢數看成是一種標誌。要得到真正的權力與刺激，就要關注你將用這些金錢來做什麼。將注意力集中在這上面，直到你露出微笑為止。我敢保證能提升你的精力！

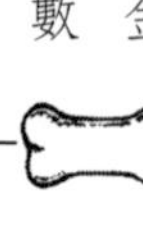

但是，重要的是要記住，你不可能一直持續高潮，也不可能一直陷於低潮。這就是自然規

律。狗知道，雖說目前正在下雨，自己在外面渾身又濕又冷、拼命地發抖，但是這雨遲早會停的，太陽也會出來的，牠們又能找到安身的地方。銷售的樂趣在於你知道只要自己願意，你在從事這個職業的每一天裏幾乎都將經歷許多不同的情緒和感受。一個努力試圖掩蓋和隱藏自己情緒的人、一個小心翼翼躲避低潮和高潮的人絕對不會是一隻最佳的銷售狗，除非他學會了如何表達並感受自己全部的心情。

成熟的銷售狗會直視自己的情緒並把它轉化成激情。沮喪化成了決心，憤怒與畏懼化成了力量，快樂化成了純粹的樂觀和永不消退的動力。

你如何才能做到這一點呢？記住，這是一個心理適應的訓練過程。為勝利喝彩，哪怕最小的勝利也不例外。告訴自己，你是一個傳奇人物，儘管你取得的成就並無驚天動地之處。當你情緒低落時，試著讓自己投入到活躍的行動中，這樣的努力不費什麼頭腦，卻能激發更高的能量。比如向目標客戶們散發新的廣告宣傳單、出去跑跑步，或者編寫一份新的市場行銷信函，並找出二十個人對它進行測評。

你要用你所能找到的任何一種途徑把精力調轉過來，讓自己的注意力從消極的情緒上轉移出來。不過，重要的是不要把「轉移」和「忽視」混為一談。在開始採取任何行動之前，你必須明確並認可自己的情緒。否則在你今後的路上，它還會再次浮現出來，唯一不同的是，到那時候它將具備更大的威力。

不要隱瞞自己的情緒，把它弄清楚，給它一個名稱，和它一起坐一會兒，認同它、釋放

它，然後繼續前行。不要把它吞下去。如果你對自己的情緒感到不安，那你要明白，即使是面對低潮，你也會自然而然地產生一種固定模式下的反應。憤怒終將創造智謀和果斷，失望也能激發決心。弄清楚你的模式。如果是好的模式，那就要有耐心；如果是一種消極的模式，那就找出自己該在哪里作出轉變。

出色的銷售狗具備這樣的行動轉變能力，但是這種能力也可能會成為他們最大的負擔。有能力採取行動對我們所有人來說，都是一件能給我們帶來好處的事情，但這種能力也可能會走向極端。銷售還需要耐心。大多數時候，一隻狗離開了原路另闢蹊徑，就是因為缺乏耐心，一心想得到快速的回報。通常這樣的狗最終會疲於奔命，牠追趕的兔子太多了，到最後卻一無所獲，只有追自己尾巴的份了。一名優秀的馴狗師會教導自己的狗，讓牠堅持走好腳下的路，獵捕自己的獵物，直至走到終點為止。

所以，一名優秀的馴狗師必須鼓勵自己的銷售狗在毫無進展的時候保持耐心。你必須讓目標客戶在這個漏斗時刻保持盛滿的狀態；不停地把一次次機會扔進這個漏斗，接下來再不停撥打電話，最後終將有一筆銷售業務成功地從漏斗的底端冒出來的。不能在此時放棄合理的市場行銷策略。當你的情緒低落期來臨時，耐心和毅力必須攜手上陣。和任何事物一樣，一切都將周而復始。這就是為什麼你要確保自己心裏明白，所有的挫折都是暫時的、特殊的和客觀的。如果你把這種心態用於實際當中，那你將在很短暫的時間內從逆境中重新站起來，回到新的一天中去狩獵！

十三、是什麼讓他們不斷回頭

——應對斥責和拒絕的技巧大揭祕

一隻狗一旦決定了要玩取物遊戲，牠就會一直糾纏著你，直到你把球扔出去為止，這裏面究竟有著怎樣的故事呢？不管你上一次和牠一起玩耍是多久以前的事情了，牠總是一如既往地滿懷著希望，希望你現在能和牠玩遊戲。在你讀報紙或者打電話的時候，狗會一直耐心地坐在一邊等你，一直在仔細地觀察你的一舉一動，你哪怕表現出一丁點的軟弱或分心，牠就會發起突襲！

你可以對牠說「現在不行」或者「走開」，但牠還是會坐在那裏等待。不管你如何長時間地拒絕牠的請求，甚至連牠淌在球上的口水都已經乾了，牠都絕對不會放棄。有的狗甚至會擋住你的去路，不讓你走到別處去。為什麼會這樣？是什麼讓牠們在面對拒絕和挫折時還能不斷地回頭？很簡單，牠們沒有意識到自己已經被拒絕了，而且你叫牠們走開時也根本沒聽清楚！

反對與拒絕對大多數銷售狗來說是最大的難關。如果你是一隻銷售狗，在第一次或第二次接到攻克難關的命令時就跑去尋找掩護，那世上所有的銷售策略對你來說都毫無價值可言了。

想想看，你有必要和狗坐在一起，教牠們如何建立自尊嗎？你有必要教狗如何利用複雜的談判策略促使人們把球扔出去嗎？我認為沒有必要。

重要的是去學習並實施我在本書前面一部分所介紹的那些管理技巧。為勝利喝彩，重新詮釋逆境，這些都非常重要，但是真正的祕訣在於，所有了不起的銷售狗在應付斥責和拒絕時都有一種神奇的、祕密的妙招。

他們對此早就習以為常了！

我也很想對你說，有一種更輕鬆的辦法、一種捷徑能讓你不費任何時間、沒有任何負擔和痛苦地擺脫一切，而且對你絕無影響。很可惜，根本就不存在這種辦法和捷徑。

這是唯一的出路，要想擺脫內心對拒絕的畏懼，唯一的辦法就是去經歷拒絕。你必須經歷過斥責和拒絕才能理解它，而且你必須從中走過許多次，最終才能絲毫不受其影響。

大骨頭：在你所能學習的事物當中，最重要的就是要學會如何應對拒絕和批評，你訓練自己，那你的生活將發生徹底的改變。不僅你的銷售業績會提高，而且你還會發現你的人際關係也將如日中天。大多數人並不知道，自己內心下意識的畏懼和憂慮，會對他們在家中以及工作中的言談舉止和人際關係有著多大的影響！

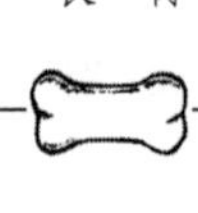

狗的典型生活其實一直是處於在斥責和拒絕當中的，這樣的經歷有太多次了，牠們對此已經麻木不仁了。牠對拒絕抱著無所謂的態度，這沒什麼大不了的，你就在那兒吧，你就聽吧，你就拿T恤吧，你就看錄影吧——現在把那個該死的球給我扔過來！

問題是，在你和你的銷售狗對此習以為常之前，他們那貴賓犬一般高傲的自我意識將面對極大的挑戰，很難成功地應付這一切。大多數人從來沒碰過這種事情，因為他們害怕，總是想盡了辦法退避三舍。這種逃跑策略的問題在於，如果你回避了拒絕，就等於回避了銷售機會，而你一個月的損失就會高達成千上萬美元！

順便說一句，「最聰明」的狗（就是那種嫡系的、敏感的、高度興奮且很有社會地位的狗）有時候最不擅長做街頭推銷。他們在生活的各個方面都幾乎沒有經歷過任何失敗，當他們的激情只遭受一點點打擊的時候，他們就承受不住了。有時候，大雜院裏的銷售狗、混種銷售狗和背景恰好相反的銷售狗反而有可能成長為最好的銷售人員，因為他們習慣了面對逆境，他們明白有時候失敗是生活的一部分。

在所有狗當中，比特狗是最符合這種特性的代言人。他們似乎因此而成長得更為茁壯，似乎還盼望著遭到批評，這樣他們就可以咆哮著用自己那尖刻、睿智的答覆去回敬對方。這種反應——順便說一句——並不見得就是應付批評的最佳方式。

一旦你擁有了應對斥責與拒絕的技巧，你的生活將從此改變，你勇於冒險的勇氣以及發展出色的、長期的人際關係的能力都將和以前不可同日而語。你將有能力承受衝突與異議，而這

將消除你內心的畏懼，讓你到達一個別人只有在夢中才能一見的絕佳境界。

有一點請你明白，這種能力不僅可以讓你在銷售業中獲取財富，而且還將給你勇氣去按自己的方式生活。你曾經有多少次口是心非地活著？我們當中有多少人不得不扭曲或改變自己的個性，以滿足別人對自己的期待？又有多少人不得不欺騙自己，因為這比欺騙別人「更容易一些」？

我們在成長中接受的觀念告訴我們，自己必須盡一切努力去滿足所有的人。我們必須得到認可和愛，必須幫助所有人。可我們自己呢？可不可以對自己真誠一些？可不可以幫助自己做一個快樂的人？可不可以去接受、去愛那個原原本本的自己？

除非你學會站起來，讓別人接受你原本的價值，否則你將永遠也無法實現自己夢想的生活，而是生活在別人的夢想中。不管別人怎麼說、怎麼做，你都還是你自己，你一切照舊。只要你明白了這一點，你就會擁有完整的生命，擁有自信和平靜。

那麼你如何才能學會這種改變人生的技巧呢？很簡單：去迅速地適應它，反覆操練、沉浸其中。一次次地反覆經歷最常見的斥責和拒絕。通常人們聽到的斥責和拒絕大概有三十來種。這些常見的斥責和拒絕足以讓大多數推銷員望而卻步、畏縮不前。通過訓練和反覆地經歷，你能夠淡化它們的影響，輕鬆地排遣每一次遭遇所造成的不良情緒。「這沒什麼大不了！」

在我第一次面對一群人發表演說之前，我從一群朋友那裏既聽到了美言，也得到了惡言惡語。我的這些朋友和我同時在培養同樣的技巧，我們曾把自己鎖在一間屋子裏，一待就是好幾

個小時，大家輪流站到屋子前方，下面的人模擬一些提問或批評意見，幫助上面的人練習如何應付類似的局面。

我們會聽到這樣的話，比如：「你憑什麼跟我們講這些？你從沒經營過像我們這樣的大公司，你可能根本連門都摸不著！」或者：「你和其他那些愚蠢的顧問一樣，自己不會開公司，所以就只能去教人家做推銷。」

我曾遇到的言語攻擊還有比這更甚的，實在有傷大雅，不便在此複述。但是如果大家彼此很瞭解，很可能會說出一些更難聽的話，甚至連一隻勇猛的比特狗聽到這些話都會發抖。

我至今還清楚地記得這樣一次訓練場景。當時屋子裏大概有十個人，大家在各自的工作崗位上忙了一天，都很累、很煩躁了。我們這個小組的成員背景豐富：一個擁有一家大廣告社，另一個擁有一家生產企業，還有幾個是大公司裏的高級經理。

那天晚上，我的朋友約翰正在準備第二天就要發表的重要簡報，他是一家頂級製衣公司的老闆兼銷售經理。約翰站到了我們一群人面前，開始了自己的簡報。坦白說，他的簡報很枯燥，毫無重點，而且很顯然準備得不夠充分。

才一兩分鐘的時間，屋裏的銷售狗就活躍起來了，其中的一個高級經理開始發難。「重點在哪？」另一個也跟著說了一句：「太無聊了。」這時又有一個人很粗暴地插了一句：「你根本不知道自己在說什麼。」

約翰顯然慌了，但是值得表揚的是他仍在繼續。他的聲音更大了，中氣更足了，也更激動

了，但是他表達的內容還是一樣無聊。這一切只能使我們其他幾個人對他進行更猛烈的攻擊。（我們是很殘忍的一群傢伙，比任何目標客戶都刻薄，甚至超出了他們的想像。）

最後，約翰實在是忍無可忍了，他迅速把自己的筆記收起來，向門口衝過去。「我才不管你們怎麼想呢。」他說：「這是我的簡報，我要按我的想法去做！」

當他朝門口衝去的時候，我們大家發出了一片噓聲。但是，在他走出房門之前，卡爾，一家國際會計公司的高級合夥人，一個身高六英尺以上、體重二百五十多磅的傢伙把他攔在了門口。「除非你能從我身上跨過去，否則你休想不聽我們的建議，不作任何改正，就這麼一走了之了。」

屋子一片死寂。沒有人說話。

約翰停了下來，他盯著卡爾看了看，又回頭看了看我們，隨即放聲大笑起來。「我是開玩笑的啦。」他說道。於是大家都歡呼起來，而約翰又回到了自己的位子上重新報告。

接著我們和他一起探討，直到他把講稿整理得非常完美。第二天，他的聽眾完全被征服了。信不信由你，約翰現在是一名暢銷書作家，還成了世界知名的激勵大師。對我們所有人來說，這些經歷真的能讓我們脫胎換骨。

但有趣的是，不管別人的攻擊有多惡毒，當你聽過一定的次數後，就會感覺一切都很平常了。你只要輕快地忽略過去，面對下一個問題或者下一項內容就可以了。但最棒的就是，過去你的心會「撲通撲通」跳得很快，連自己說話的聲音都聽不清楚，而且還會汗流浹背，但現在

這一切都不復存在了。

這些訓練非常關鍵，我現在還一直堅持做這種訓練，我會對著鏡子自己做，不然就是對著我的妻子——她是主動請纓的。在她看來，把我批評得一文不值很好玩！

我發現，勤於訓練的人，銷售業績會明顯上升，因為當他們真的要面對一個很挑剔的客戶時，一切都沒有什麼大不了的！

狗的頭腦很簡單，牠們的世界裏只有本能、忠誠和回報。人類就相對複雜了，但是我們仍然具有同樣原始的簡單性。事實上，最近的研究結果顯示，當我們看到了威脅時，我們的大腦總會掛上「低速檔」，從高級的邏輯思維區域調低到情緒化、控制記憶、甚至主管逃生的那部分低級區域裏去。

這樣一來，邏輯和理智就幾乎不可能存在了，因為我們的邏輯思維程式在神經系統的運行中，已經被大腦內部主管情緒和逃生的那部分區域所覆蓋了。

大部分銷售培訓理念都強調，銷售人員千萬不要擺出防禦姿態。常識告訴你，一個人一旦處於防禦狀態，他所要做的一切就是避開目標客戶。這是一個很了不起的建議。不過，防禦是人們在遭遇拒絕或批評時所產生的一種自然的心理狀態。你怎樣才能克服它呢？

答案就是，你要對自己的思維進行有系統地復原。最主要的是，你需要重新設定你的反應。你很清楚自己通常得到的教導都是：批評不過是一種展開進一步討論、獲得深一層澄清或理解的途徑。但是如果不對你的反應進行重新訓練，你將永遠也無法控制自己的情緒，只能聽

任它吞噬你的邏輯和理智。

注意：恰恰相反的是，當狗察覺到威脅時，牠們會呆呆地去聞，不然就把牙亮出來進行自衛。（一隻好的銷售狗應該選擇前者的反應。這時你就要把你的比特狗栓牢，不時拉牠們一下，和牠們的天性作點鬥爭。）

曾經有多少次有人指著你的鼻子叫你走開，或者把你的激情碾得粉碎？你還記得自己當時的感覺嗎？怒火中燒、汗流滿面、悶悶不樂，恨不得自己能痛快、機智甚至是不留情面地予以回應。可現實中，你很可能站在那裏，默默地接受這一切，嘟噥著一些軟弱無力的回答，或者是怒氣衝衝地走開，要不就夾著尾巴忍氣吞聲地離去。接著，幾個小時以後，你終於想出了一個絕妙的應對辦法！要是銷售過程中也有一個「後退鍵」該多好啊，那你就又有機會了。當你面對目標客戶的批評意見，需要作出絕妙的答覆時，它們在哪兒呢？事實是，這些答覆一直都在那裏，不過是那一堆情緒化反應把它們束縛住了。

記住，批評不是問題的所在。問題是批評促使你產生了情緒化的反應，使你的思路不再清晰。而實際的情況會更複雜，因為與此同時，你還會把一切視為一種個人的失敗，在心靈上留下了一道傷痕。

同樣，要想克服這種典型的情緒崩潰，方法就是在模擬訓練環境中反覆對批評做出反應。一旦你恰當地調整了情緒，不再那麼敏感了，那麼當真正的批評意見向你襲來的時候，你就能夠輕鬆地把它們抖落在一邊，甚至會在心裏竊笑道：「這個我已經聽過了！」於是，你就可以

繼續搜索、詢問、刺探、追逐，發揮所有出色的銷售狗都具備的那種無所不在的好奇心。

我們能夠從犬類朋友那裏學到的一個關鍵本領就是，不管你叫牠們走開多少次，多少次拒絕牠們的請求，不讓牠們湊到你的膝前，不給牠們任何愛撫，牠們都永遠不會放棄，而且也永遠不會放在心上！

「城市生活保險」和一組心理學家組織研究了一次針對成千上萬名銷售人員的內部心理對話調查。他們發現，這些推銷員當中有相當一部分人很擅長應付「拒絕」，我們在第十章中對此有所描述。他們是這樣理解拒絕的，拒絕是：

1. 一次具體的、和其他事物不相關的意外事件；
2. 和他們生活中的其他方面沒有任何聯繫；
3. 是由外部因素造成的，比如時間、目標客戶的情緒或者目標客戶所面臨的問題。

調查中另有一些人對拒絕的反應則截然不同。他們把它視為一種消極模式，是生活中其他消極事情的一種反映。他們在調查中聲稱，自己天生就存在一些問題，所以導致了這些負面結果。對比兩組銷售人員的銷售業績，其結果令人震驚：

第一組的銷售業績比第二組持續高出34％。

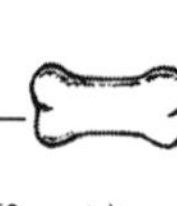

骨頭：銷售狗已經找到了一種途徑，在撥打推銷電話之前對某些心理傾向進行測試，如果有必要的話則進行修正。（欲參閱有關的能力測試，請上網站 **www.salesdogs.com**。）

有一些狗因為曾經挨過打、受過虐待，所以自信心很低。你剛一舉起手，牠們就蜷縮起來，以為自己又要遭受攻擊了。不過，就連這些狗都會一次次轉回身來，懇求你的愛撫。我不相信狗能抓住牠們追趕的貓，但我也從沒看到有哪隻狗在追趕不成時會癱在地上，用爪子捂著眼睛，為自己的蒙羞而哀鳴。相反，牠們垂著舌頭，口水淌了一地，已經再次準備就緒，要繼續追逐了。

首先要記住：千萬、永遠也別把批評和拒絕放在心上。如果在銷售中遭遇這種境況，一定要把責任推卸到別處去。

我當然不是說你不應該為自己的行為後果負責。我所說的這些並不意味著你可以無所顧忌地對外界因素橫加指責，或是憑空想像自己是遭人陰謀陷害等子虛烏有的那一套。我只是想說，承擔責任並不意味著你要把自己的頭硬往牆上撞，而是不要讓消極的銷售事件惡化，演變

成一種針對整個生活的消極理念。

不要忘記，銷售人員每天都在公司的支持下從早到晚地衝鋒在最前線。如果一顆手榴彈滾到了散兵坑裏，你應該怎麼辦呢？是把它拿在自己手裏、分析它為什麼會出現在這裏嗎？不。快把它扔掉！

你應該從這次遭遇中學習，這樣你就不會再遭受一次襲擊了。但是，不要傻坐在那裏盯著它看，眼看它在你面前爆炸。

你必須從自己的經歷中汲取經驗，然後開始確立能使自己獲勝的行為法則與模式，讓自己在將來變得更成功。你會發現很多趨勢，比如「週一下午是打電話給公司主管的好時候」，或者「重要的是要確保在重要的演說場合，所有的決策人員都要到場」，還有「簡報要簡單明瞭，否則你的目標客戶將對你失去興趣」。

我強烈建議你從銷售狗培訓套裝軟體中接受批評意見，和你的同事及朋友一起，或者你一個人單獨反覆練習。最初是否回答他們並不重要。你只要聽他們說，然後說一句「謝謝你」就行了，直到你能夠很自然地、不帶一點感情色彩地把這句話說出來。

接下來，要開始培養自己對質疑與批評作出理性的、有邏輯性的答覆。你將驚訝地發現，同一個問題竟然可以有那麼多種生動的答覆方法。最初你可以使用快速思維法，我們在前面對此有所探討。帶著這種思維方式走入現場，你會感覺自己全副武裝，甚至發現自己開始盼望著聽到你最想聽到的批評！你將永遠能夠活躍在狩獵場上，而且永遠也不用跑去尋找掩護。

接受批評時的最好反應就是，在批評之後緊接著提出一些很好的、誠懇的、試探性的問題。如果你直截了當地給予答覆，或通過提問給目標客戶設下圈套，來迫使他同意你的觀點，那你只會促使目標客戶遠離你的身邊！千萬不要把一切演變成一場你和目標客戶之間的競賽！正確的做法應該是溫和地把目標客戶帶到某一點上，在這一點上允許你來幫助他。

一旦你成功地學會了如何保持鎮定和頭腦清晰，你就能實現進一步的自我發展。你要通過提問去獲取更多的資訊、作出更多的澄清和界定，最終達到上述境界。

首先，面對批評永遠都要說「謝謝你」，然後把批評的話重複一遍，以表明你確實認真聽了，而且也確實聽明白了。「如果我沒聽錯的話，我想你的意思是說安裝的時間對整個項目最為重要，對嗎？」

這表明你理解了客戶的意思。如果他對你的複述沒有異議，那就接著提問，用更多的問題進一步瞭解他關心的究竟是什麼。要誠懇，避免提出一些引導性的、諸如「為什麼」之類的問題。你的目的不是要證明他的無知，而是要對當下的問題有一個清楚的認識。

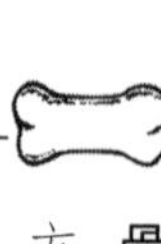

骨頭：永遠不要試圖誘導或引導一個目標客戶與你保持一致的意見，尤其是在對方提出批評意見之後。記住，這可不是在下棋！

大部分銷售人員都試圖把批評扭轉過來，想從客戶那裏馬上聽到贊同的話。這種笨拙的引導方式只能讓任何稍有智商的人感到憤怒。要清醒地明白「但是」和「如果」這些字眼的含義，如果你在對方提出批評之後馬上就用上了這些表達方式，那你的目標客戶會感覺你是在試圖爭辯，（我明白，但是……）不然就是想迫使他承認某些事實。（如果我告訴你……）你的提問應該針對他為什麼會存在這些特殊問題，你的提問方式要表現出你的誠意和懇切的態度。

另一個小提示：每隻銷售狗都有自己的天敵。一些比特狗一看到小動物就緊張，或者只喜歡男性的同伴；有許多貴賓犬一看到大狗就膽戰心驚；那些大型動物和奇怪的聲音能把巴吉度狗嚇破膽。想讓狗克服對其他同類的恐懼心理，有一個辦法就是製造機會，讓他們在沒有威脅的非銷售狀態下暴露在他們的天敵面前。

對有的銷售狗來說，年紀較大、兩鬢斑白、一臉深沉、看上去很有權威的白人男子就是恐懼的化身；有的害怕見到好鬥的女性目標客戶；還有的年紀較大的銷售狗甚至對那些年輕氣盛、傲氣十足的小狗頗有點害怕。去模擬並經歷各種不同的場景，直到發現你最害怕的場景。然後一次次練習如何面對批評意見，想像著你最大的天敵正在向你大吼大叫地斥責你。

我過去真的曾經特別害怕那種典型的高階執行長，灰色頭髮，身高大概六英尺多，戴著深色的框架眼鏡，看起來很不耐煩。面對這樣的目標客戶時，我總是緊張得前言不搭後語。我過去向機構的高層人員做推銷的能力很讓人沮喪，而且很少有成功的，直到我徹底擺脫了對這些人士的恐懼感，局面才得以扭轉。

當我開始主持座談會時，似乎有越來越多的人出現在我面前，對我形成了挑戰。我知道我必須解決它，因此我沒有回避他們的問題，而是開始練習如何去答覆這些問題。我的調查研究遠遠超出了他們的，這樣我就敢肯定他們永遠也別想打敗我。當問題出現的時候，我早已準備就緒了。

最重要的是，我在頭腦中形成了一種比特狗與克林伊斯威特的綜合心態，我的潛意識會默念道：「來吧……開始吧……讓我露一手給你們看看！」因為我的腦子裏已經準備了大量的「彈藥」這些知識和見解是我早就準備好了以防不時之需的。因為我曾經演練過許多次了，所以那些灰頭髮、戴深邊眼鏡的面孔已經失去了它們對我的情緒的主要影響力。我能夠保持思路清晰，因為我在情緒上已經有所準備了。

應對批評的最後一個提示：多年前我曾經歷

了一次痛苦的離婚。原因有很多，但是最主要的一個就是，我們兩人都不知道該如何處理婚姻中的衝突。每當衝突出現時，我們就忽視它的存在，把它藏在毯子底下，或者藏在櫃櫥裏。我們總是小心翼翼地確保一切都「再好不過」。問題是，真正的矛盾衝突一次次被忽視或隱藏，於是到了一定的程度，它就會呼嘯著反撲過來，其破壞力足以導致天崩地裂，沒有人能抵擋得了。逃避拒絕使我最終要面對最慘痛的拒絕。

後來我接受了如何應付批評和拒絕的訓練，學會了如何避免情緒失控，這些培訓給了我更多的勇氣去處理矛盾衝突。我不是說現在就一定能完全控制住自己的情緒，我偶爾仍然會有情緒失控、痛苦低落的時候。

但是，我現在可以更客觀地看待問題，能夠很快恢復。而這帶給我的遠遠不止口袋裏的金錢，它更讓我擁有了豐富的人際關係，與世界上一些最有權力、最有活力的人建立了良好的私交。最重要的是，它使我擁有了和妻子愛琳之間那種夢寐以求的默契關係。如果你從這本書中學不到什麼其他東西，那就學這個吧！

十四、看門狗與豬

許多純種的銷售狗有時候會在兇猛看門狗的威嚇之下膽怯起來。這些狗十分兇猛，專門負責護衛主人的時間與精力，對打給主人的電話進行「過濾」，是名副其實的門神。

在有關銷售的資料中，如何智鬥守門人可能是最熱門的話題之一，這裏有上千種竅門和絕妙的招術，能幫你找到聰明的辦法繞過這些個體，來到決策者面前。

問題在於，這些洛威拿犬和杜賓犬有著強烈的防守意識和護衛意識，他們大多已經聽說了那些暴露在陽光下的每一個竅門，而且他們也太聰明了，很少會落入這些圈套之中。

沒有一隻狗會在大腦清醒的時候去攻擊一隻守在大門口、重達一百二十五磅的德國牧羊犬。你可以扔給他一塊摻了安眠藥的牛排，但是和他交個朋友豈不是更輕鬆嗎？

你推得越使勁，他們就會變得越強硬。讓我們來學學梅爾吉勃遜在電影中的表現吧。在《致命武器Ⅲ》當中，梅爾突然在一條狹窄的走廊裏遇到了一隻洛威拿犬。面對著要把自己當成晚餐的對手，他的選擇堪稱迄今為止最成功的推銷。他趴在地上，轉動著一雙大眼睛，開始像一隻小狗那樣低聲嗚咽起來。幾秒鐘過後，他不僅沒有被撕成碎片，他的攻擊者反倒成了他

最好的夥伴，舔著他的臉，蹭著他的脖子，和他親密無間。

我不知道這種辦法對一隻真正的洛威拿犬是不是也能奏效，我也並不真想去驗證一下這種做法！但是，其中的理念是頗有道理的。和看門狗交朋友，讓他們健壯的體格和堅忍不拔的精神為你所用，而不是被用來對付你。和他們平起平坐，用他們能夠理解的方式與之交流。

看門狗一開始提出的問題往往很公式化：「我負責接聽某某的電話。你有什麼事情嗎？」這時不要用打發下人的口氣回答他們的問題，而要說：「太好了！我來跟你說說我的產品吧。」或者，「讓我和你說說我想瞭解你們公司的哪些情況吧。」要友好、謙遜、親切，不要在守門人面前表現出居高臨下的姿態。

你對待他們要像對待決策者一樣。我們在參加銷售培訓時會經常聽到這樣的話，「不要在決策者之外的任何人身上浪費時間。」有時候這完全是鬼扯，因為在那個時候，那個私人助理就是真正的決策人，他或她的想法將決定你是否能跨越這第一道門檻。對他們要尊重、誠懇，這樣你才有可能很快聽到以下的答覆：「哦，這件事情你得和某某談談，他比我更瞭解情況。」

如果你能成功地做到這一點，那你就找到了一個很好的內應和推薦人。你要對他們透露一定的資訊，這樣才能變成朋友。建立親和的關係永遠也不是浪費時間，今後你必將從中受益。

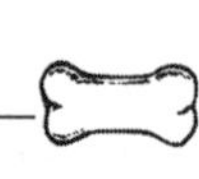

骨頭：我在公司銷售中學會了「向客戶的祕書表示敬意」。記住他們的名字和需求，記住只要有可能就要隨時向他們表示感謝。他們可以成為你最大的盟友，也可以成為你最大的夢魘。

接下來的是豬。

狗在小時候能把你扔出去的任何東西都拾回來。長大一點以後，牠們會更介意自己的爪子到底要沾上些什麼東西。銷售狗也是如此。

要判斷一個目標客戶究竟是「觀望者」、「初次購買者」還是一個非常有誠意的目標客戶，這需要一定的能力，而這種能力來自於經驗。我在自己的工作經歷以及和所有這些出色的銷售人員的交談中發現，我們當中沒有一個人在狩獵過程中是置身於事外的。你永遠也不知道對方的意見是什麼，除非你開始發問。不要在最初花費大量時間去學習如何估算一筆交易的價值，這完全是一種浪費。另外，它還排斥了非常有價值的、面對面的學習機會，而你必須在工作過程中把握這些機會。

不過，有一種動物是所有有經驗的狗都應該學會迴避的，那就是豬！事實上，豬在所有的牲畜中被公認為最聰明的一個，雖然牠們從不講究衛生，也沒有什麼幽默感。豬的優勢在於，

除了非常聰明之外，牠們還非常「豬頭豬腦」。

當我還是個孩子的時候，我們家的農場裏養了兩隻德國牧羊犬。牠們會和農場裏的每一種牲畜待在一起，追趕牠們或者和牠們一起玩耍，只有豬除外。豬是唯一一種拒絕遊戲的牲畜：牠們要做的所有事情無非就是打呼和四處晃蕩。如果狗真的試圖讓牠們玩起遊戲來，豬會覺得很煩，弄不好會突然轉過身來襲擊狗。你見過這樣的目標客戶或這樣的人嗎？

我的祖父曾經對我講過一句俗話，多年來，我的朋友和我在銷售工作中以及教學中常常拿這句老話來說笑，這句話當中蘊涵著相當的智慧。你可能也聽說過這句俗語：「不要教豬唱歌，因為這會讓豬煩躁不堪，何況豬也唱不出什麼調調來。」

豬有這樣一種特性，在不可辯駁的理由、邏輯和個人利益面前，他偏偏要哼著鼻子、打著呼嚕與你爭辯和交戰。他們不想去聽，當然也不想購買。他們只想在自己的泥坑裏打滾，他們希望你走近他們，這樣他們就可以通過和你的對抗給自己找個理由，心安理得地繼續待在消極和髒亂之中。

有句俗話說，「顧客永遠是對的。」我倒覺得要讓這句話更有道理，就得把它改成：「正確的顧客永遠是正確的。」換句話說，有的人不管你做什麼、說什麼、提供什麼，他就是要做豬。他們不想合作，不想同意，更不想跟著你唱歌！他們想做的無非就是挑戰你、冒犯你、糾纏你。不要浪費你的時間了！天知道我的生活中有多少時間都浪費在試圖說服一隻豬上面，而他很可能更想自己單獨待著。

有的人就不應該去理他。好的銷售狗能一眼識別出眼前的人是不是一隻「豬」。我的朋友羅勃特・清崎喜歡說的一句話就是：「如果你花時間和一個白癡爭論不休，那世上就又多了個白癡！」

我絕不為雜種狗唱歌。
我不同意。不！不！不！
你是否考慮
噢，我已經聞到烤豬肉的味道了，我敢打賭他根本不會唱歌。
©EINSTEIN

十五、狩獵！

——銷售狗的周旋迴圈

無論是一隻黃金獵犬、比特狗、貴賓犬、吉娃娃、巴吉度獵犬，還是這幾種愛使性子的小狗的混雜品種，每一隻狗都必須遵循同樣的公式才能取得成功的銷售業績。唯一的不同之處不過是，在實施該公式時他們會表現出不同的風格、採用不同的方式。

在我從事銷售、與那些出色的銷售人員共事的這些年裏，我發現銷售過程基本上是非常簡單的。在這本書中，我試圖打破有關銷售的一些神話，給你提供一些深刻的認識和個中祕密，而這些都是我花費了很多年的時間才發現的。沒有人願意把這樣的資訊拿出來與人分享，因為這些通常都是用數不清的血汗和淚水換來的！

我已經介紹你關鍵的思維方式和一些類似於捷徑的技巧，它們能提高你的工作效率，讓你找到你想要的那一桶金。不要在其他事情上浪費太多的時間。如果你的思維方式正確，那麼就可以接著學習下面的內容了。

你是否見過這樣的場景，主人把一隻小獵狗拴在柱子上，花兩分鐘的時間走進當地的投注

站去買彩票，而此時這隻小狗自己在不停地繞圈子，一股腦地向前衝，繩子眼看就要被拉斷了。

我們作為銷售狗也恰恰如此，運用每一種無堅不摧的銷售理論、策略和體系，打造出一個亢奮的、充滿期待的市場。

直接銷售沒有任何複雜之處，一切都可以歸結於三個基本部分：

- 目標客戶；
- 約見：電話約見或當面約見；
- 作好安排（成交）。

贏得目標客戶

這不過是一場遊戲，一場簡單而有趣的遊戲，並不是對你的自身價值或智商的檢測。

一隻狗拿到球的時候會追逐公園裏的每一個人，直到有人同意把球扔出去。牠們知道總會有那麼一個人願意把球扔出去的，問題不在於是否會有這樣一個人，而是什麼時候才能找到這麼一個人。作為一

隻銷售狗，你必須保持同樣的心態。

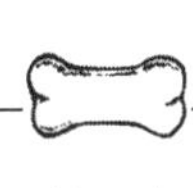

大骨頭：銷售純粹是一種精力的較量。當兩個人在銷售場合下相遇，精力最旺盛的那個就是勝者！

估量還是不估量，這是個問題

至於你是否應該花時間去估量一筆尚未開始的交易潛藏著多大價值，人們已經談論得太多了。和直接詢問每個人的態度相比，花時間去確定他們是否會對你的產品或服務感興趣會更有價值嗎？我不認為你應該在剛開始的時候就去考慮對目標客戶進行估量，主要有如下四個原因：

1. 銷售是一場精力的較量，你付出的還會回到你手中。所以，從激發精力的角度上看，走過去和人們直接交談更有價值。
2. 你有可能犯錯。你也許認為自己的產品顯然對目標客戶X來說沒有什麼用處，但是你不能肯定，而且他或她瞭解的東西也是你所不瞭解的。很可能他或她的一個朋友恰巧正在瘋狂地尋找你的這種產品，卻哪兒都找不到。而對此，你是無法瞭解到的。

3. 這有助於你對拒絕採取不太敏感的態度，而且你還可以利用一個相對而言不是很重要的客戶，來練習自己面對批評意見時的表現。
4. 若想確認某人是否對你的產品感興趣，最有效的方法就是走過去直接問問他或她！

你要把「是」作為自己的座右銘，對任何事物都說「是」。是的，你要去參加派對；是的，你要給某人的朋友打電話；是的，你要主動幫助一個同事或朋友。你要做的就是與任何人保持聯絡，哪怕他們對你的產品或服務只表現出了那麼一丁點興趣。你不在乎他們是喜歡你還是討厭你，是有錢還是沒錢，只要能來到他們面前就行了。開局的機會無處不在，一通電話、一個朋友的朋友、翻開電話簿隨意撥打一通電話、進行一番電話掃射，方式並不重要。

第一步

永遠不要和不知道你是誰的人交談。除非你已經和每一個知道你的人都談過話了，否則永遠也不要和不知道你的人交談！你應該去見那些經人推薦給你的人，或者那些對你的市場行銷資料有所回應的人。

記住，所有的市場行銷資料：郵件、傳真、廣告或網頁都必須包括一種服務，能促使人們做出回應並詢問更多的資訊。你可以在主頁上打出標題，提供免費註冊報告，或者在推銷信件中為月底以前回覆的人提供價值二百五十美元的免費諮詢，怎麼樣？發揮你的想像力吧。

贏得目標客戶是一種通過聯絡激發興致的藝術。總有某個人認識另一個人。看看年度報告、商務期刊、商業目錄、新聞報導和雜誌，在那上面搜集名字、發放問卷。還可以從其他公司的名單目錄上購買目標客戶的聯繫方式，或者尋找其他能從你這裏獲利的地方，為他們的客戶提供你的產品或服務，將他們的客戶變成你的目標客戶。我在使用他人的資料庫時，如果對方的客戶與我成交了，那我通常就會給提供者一部分回扣。如果你是比特狗，你可以走出去在對方毫無準備的情況下做推銷。至於我自己，我從貴賓犬那裏學到了一點，那就是尋找目標客戶完全在於聯絡。你認識的人中誰認識的人非常多？問問他們，在他們看來誰有可能對你的產品、服務或你提供的機遇感興趣？和過去的用戶、顧客和朋友談談，向任何人、每一個人尋找開局的機會。這樣，雪球就開始滾動起來了。這是一個很簡單的過程：找到一個或多個富含開局機會的源頭，給這些人提供一種服務，然後看誰舉手索要更多的資訊，那麼這些人就是你的目標客戶。其餘的借助推薦也都將成為你的目標客戶。

第二步

用你感覺最舒服的任何一種方式與目標客戶建立最初的聯繫。每一種銷售狗都傾向於一種特殊的交流方法。黃金獵犬和巴吉度獵犬傾向於使用介紹信，因為這相對而言不太突兀，也比較隨意。吉娃娃喜歡電子郵件的速度和科技含量，而貴賓犬則偏愛面對面的接觸，因為這樣他們就可以閃亮登場了。但是如果不可能當面接觸的話，那就選擇製作精美的小冊子和精美的推

銷信件——一切都在於形象和第一印象。

大多數一對一的銷售都是從電話開始的。如果你具有比特狗的特質，那推銷電話難不倒你，但是對其他品種的銷售狗來說，很可能要在最初的介紹後、發出行銷資料後，以及經人推薦後才會撥打這樣的電話，也就是說，它只被用做第二階段的聯絡方式。在經過最初的接觸後，接著就是打電話給目標客戶：

1. 感謝他們所付出的時間，向他們保證你不會佔用他們太多的時間，接著介紹你自己以及你推銷的產品或服務；
2. 感謝他們所付出的時間，向他們保證你不會佔用他們太多的時間，接著問他們是否收到了你寄給他們的介紹材料，詢問他們是否有任何疑問；
3. 感謝他們所付出的時間，向他們保證你不會佔用他們太多的時間，接著提出，你可以為他們提供更多有關該產品及服務的資訊、細節或詳情。

記住：要一直保持禮貌和熱情，不要說得太多。問他們能否找一個最合適的時間見面，先預約一下。如果他們一時無法定時間，就主動提出一兩個碰面時間。你打這通電話的目的很簡單，就是要約好時間和他們見面。

如果你是透過電話來推銷的，那你就要問問對方，你提議的這個時間是否合適，或者另一

個時間會不會更適合，然後把時間定下來。永遠要努力讓目標客戶允許你在一個特定的時間之內再和他們聯繫。這樣你就得到了對方的許可，可以保持你們之間的溝通管道暢通無阻。

在最初的電話聯繫過後，構思出一封短箋，感謝目標客戶抽出了一定的時間接聽你的電話，並告訴他們，你期待在某個具體的時間和地點與他們會面，告訴他們如果有什麼問題可以隨時給你打電話。但是最重要的是，要對他們的興趣和他們所付出的時間表示感謝。（你應該在每次和人打交道以後都發出致謝信。）如果成本問題需要考慮，或者你有成千上萬個目標客戶的話，那可以用電子郵件發送感謝信，這樣就可以降低成本了。

第三步

如果你還沒有做市場調查，那你就要趕快行動了。必須盡一切可能瞭解你的目標客戶，瞭解他們的企業、所在行業，以及他們最初是如何獲取資訊的。配備了這些資訊之後，你將更有信心，並可以向目標客戶證明你對待他們的態度是很嚴肅認真的，而且你投入了一定的時間去瞭解他們的需求。

提前準備你想讓目標客戶回答的問題，並製作一個目錄。如果你以前從沒有過這樣的經歷，那你要事先預演一下。可以和一個同事把這些問題演練一遍，你的同事甚至可能還會問你一些問題，或者提出一些批評意見，這樣一來，如果你在現場碰到了類似問題時就能有備無患了。於是，當目標客戶真的提出了一些很簡單的問題時，你不會表現出驚訝或是臉紅。

另一個重要的問題是，你要知道你在和誰說話。你要迅速判斷出即將和你交談的這個人是一個什麼樣的人。大多數銷售人員都忽略了這一點，而這可能是致命的錯誤。如果你用自己的語言、從你自己的角度和目標客戶交談，那你們可能很容易陷入這樣的局面，就是你們彼此根本沒有真正溝通過，而你還不明白怎麼會這樣！

目標客戶也是各有各的類型，每一個類型都有自己的典型特點，對此你應該有所瞭解，並要留心對待。一旦你認定了對方是屬於哪個類型的，你就要用他們的風格來交流，這樣你們雙方才能夠用同樣的語言對話。

如果你的目標客戶是一隻——

比特狗：

- 他很可能有強烈的控制欲，態度生硬，一切為了直接利益，所以你說話要快、要說重點；
- 他可能不需要太多的社交活動；
- 你的提議要言簡意賅；
- 把事情和他的直接利益相連；
- 不要顧左右而言他；
- 採取下一步驟前要徵詢他的意見；
- 強調將要面臨的重點情況；

・細節內容點到為止。

吉娃娃：

・他做事總是圍繞細節、喜歡鑽研；
・提供所有的證據材料，包括事實和資料；
・對吉娃娃來說，精確度是個關鍵，所以凡事都要再三過目（不要準備錯誤的資料）；
・需要提供良好的、有力的佐證；
・提議要詳盡；
・從可靠來源處提供推薦感言；
・言語清晰，一切以事實為依據；
・他會期待看到一份計畫書。

貴賓犬：

・他很在乎形象，擅長社交和交流，瞭解市場流行趨勢；
・要保持個人聯絡；
・利用推薦人；
・列出他靠形象得到的好處；

- 他需要向其他人負責嗎；
- 你是否是首位出現在社區裏的該產品推銷者，這可能很重要（被視為革新者）；
- 讚賞他們的所作所為；
- 徵詢他們的意見。

黃金獵犬：

- 他對服務很敏感，而且很友好；
- 注重售後服務支援；
- 自始至終的陪伴很重要；
- 要友好，加強個人關係，徵詢他的個人意見；
- 要從長遠觀點切入來談問題；
- 售後服務才是工作的真正開始；
- 主動盡你所能為他服務；
- 尋找推薦人；
- 他會期待看到你的計畫書。

巴吉度獵犬：

- 他非常喜歡一對一的交往，一切以價值為中心，希望建立個人聯繫；
- 詢問他的需求；
- 強調忠誠、服務、信譽和價值；
- 在他身上投入一定的時間；
- 站在他這一邊；
- 對他的處境表示同情；
- 表示卑微。

當目標客戶一旦開始說話的時候，你就要開始從身體上、心理上和情緒上對他們進行觀察，這一點非常重要。巧妙地模仿他們的身體語言。換句話說，如果他們雙手交叉，你也可以雙手交叉；如果他們蹺起了二郎腿，你也蹺一蹺二郎腿；如果他們上身前傾，你也不妨上身前傾。不過不要太露骨，這麼做只是讓你下意識地開始和這個正在與你交談的人，建立一種親和的關係。

如果他們說話很快，而且夾雜了很多的手勢，那他們可能是非常喜歡形象思維的人。所以當你和他們說話時，你就應該從圖片、影像或構圖的角度來與他們交談。問問他們是否可以「看到」你正在講述的東西。

如果他們說話很慢，語調平淡，似乎每說一句話都要思考一番，那麼他們可能是一個肌肉運動知覺的人（以感受為主）。當你和這些人交談時，你也必須放慢語速，語調盡可能平淡。更重要的是，要從他們對這個項目會有怎樣的感覺切入來談你要談的問題。問問他們是否能對你的話產生一種意識。讓他們信任自己的感覺或直覺，跟著感覺走。這些暗示可以幫助你更清楚地和這種人進行交流，讓他們瞭解你試圖說明的問題。

還有第三類的目標客戶，即我們所謂的聽覺類。這些目標客戶說起話來像唱歌一樣。此時，你最理想的表述應該是：「讓他們聽起來感覺很好。」這種人一般是少數，不過和他們在一起的時候，你應該多用用諸如「聽」、「聽到」、「敲響」、「聽起來不錯吧」之類的用語。

之所以要這樣做，是因為這些表達方式將在你和談話的那個人之間，構築一種下意識或無意識的友善關係。如果你只是在電話裏和他說話，那你最好站著和他們交談，或者邊走邊說，最好還戴著耳機。這會給你更充沛的精力來闡述你要說的東西，而且電話另一端的人很可能也能感受到你這種充沛的精力。它能讓你的頭腦更加清晰，而且儘管你和這個正在與你交談的人沒有目光上的交流，但是它能幫助你從視覺或肌肉運動知覺的角度來說話。你甚至可以考慮在自己的桌子上放一面鏡子，這樣你就可以在任何一次特定的電話交談中隨時看到自己的表現。如果你繃著臉，我敢向你保證，你傳遞到電話另一端的也會是同樣的情緒。

我們當年做貨運生意時，必須提供大量的客戶服務，尤其要和一些經常表示不滿的人打交道。由於我們的業務對時間要求十分嚴格，我們會面臨很多服務不確實的可能性。我們所有的

客服人員的桌子上都有一面鏡子，用來提醒他們要時時保持旺盛的精力、要笑口常開。你一眼就能看出是不是有貨車沒能及時送貨，因為你能看到至少有三四個人正戴著耳機來回踱步，眼睛不停地看著鏡子，以免自己產生沮喪、挑釁或挫敗的情緒。這種做法具有神奇的效果。

爭取目標客戶的最後說法

在面對目標客戶的舞臺上，重要的是你的行動和你的精力。精力越充沛，戰果也就越理想。你可以利用我們在前幾章討論過的心態技巧，讓自己的精力長時間地保持旺盛。

這一點很有趣：一旦你開始採取行動打造旺盛的精力，你會發現自己如此投入，以至於精力自然而然地就來了，而且勢不可擋。突然之間，大家都開始找你諮詢，打電話給你，想知道你所瞭解的資訊，想和你交談，想向你「拋繡球」。

當你需要指導一個銷售團隊時，你要做的就是讓他們吃飽吃好，然後就讓他們去打電話、跑市場，像野外的銷售狗一樣。不要擔心其他的事情，包括銷售在內。

我那六十八次的推銷經歷就是一個經典的實例。我沒有試圖推銷任何東西，我不過是讓自己成為一隻銷售狗。在經過這樣一場出擊後，我什麼也沒賣出去，只得到了一次預約機會，但是第二天，我就做成了一筆交易，而且六個電話中有三個預約成功！這完全歸功於我的精力。

從一個辦公室跑到另一個辦公室，這聽起來也許有一點比特狗的意思，只是有一點而已，整個這個過程更多地在於釋放精力。你可以試試，哪怕覺得這麼做實在彆扭也沒什麼，你可以

用任何一種讓你感覺最舒適的方式，和更多的人交流及談話，因為之所以要採取這種行動，並不是要串門子似地和辦公室經理搭話，而是要釋放精力。通過行銷釋放精力，通過服務釋放精力，通過交友釋放精力，通過散發資料資料釋放精力。不管怎麼樣，去行動吧！釋放精力有兩個目的：得到很多客戶，得到很多預約。

預約

一旦你的鞭策激發了目標客戶的興致和精力，那麼接下來一定要提出預約或者承諾再次聯繫。在你和他們建立聯繫的過程中，這是至關重要的一步。要想讓你的預約最終能成功地促成一次銷售，你要遵循以下幾個步驟。

第四步

在約定會面或約好電話聯繫的那一天，你要確保按以下方式作好準備：

•裝扮得體、衣著得體。即使你所有的推銷過程都是在電話中進行的，也不例外，因為如果你外表很得體、內心感覺也良好，那麼你與對方的溝通也會因此而受到好的影響。職業裝扮能將你的思維調整到成功狀態，你在遊戲中的表現也會有所提升。記住，你留給他人的第一印象只不過是幾秒鐘的事情。有的人還沒出門就給自己挖了個大坑。我的朋友雪麗•邁索那夫在她的著作《隨意權力》中指出，衣著打扮正式得體的推銷員和那些不講究外在形象的推銷員在個人銷售額上的差距幾乎是天差地別。這是一個定律，你的衣著打扮一定要比你的目標客戶高出一個層級。在著裝很隨意的時候千萬不要撥打推銷電話。

•利用一切必要的手段把你的情緒和思路調整到正確的狀態。換句話說，在赴約前要選擇你想要的情緒。要保持興奮、熱情和快樂。如果你能做到這一點，那你此次約見取得的效果一定會反映出你的這種心態。

•要守時。要在會面時間的基礎上提前至少五分鐘到達約見地點。如果你是在一周以前預約的，要在上車之前打電話確認一下。這表明了你的熱情和誠意，同時也表明你是個做事情很有計劃的人。

記住，如果你答應對方在一個具體的日子裏回覆電話，一定要信守承諾。我們當中有許多人似乎覺得電話預約沒有面對面的預約那麼重要，但是如果在你和對方開始打交道的初期就言行不一的話，那你的目標客戶如何能夠相信，今後要是和你一起做生意的話，你的行為就會大

有改觀呢？

一旦你作出了承諾，就要說到做到。言行一致對你來說非常重要。如果臨時有變動，一定要儘快通知對方。

第五步

當你前去赴約或者開始如約進行電話聯繫的時候，記住，要把注意力集中在你想要得到的結果上。在會面前，嘗試著回憶過去自己有過的類似的成功經歷。讓成功的那一刻在自己的腦海中重現，讓自己再次真切地體會當時的那種情緒。

當你第一次面對面地會見你的目標客戶時，一定要面帶微笑，一定要主動與對方握手——如果在你的國家握手算是習慣性的禮節的話。（提到握手，不要太用力，也不要太小力。和目標客戶握手時，力度要和對方的不相上下。如果處理不當，對方會感到一時的不快，這對雙方建立合作關係來說可不是一個良好的開端。）要等目標客戶主動招呼你入座後再坐下。

如果你是在和對方進行電話聯繫，那微笑就顯得更重要了，因為它會融入到你和對方的交流之中。

在初次談話時，你唯一的重點就是要儘量多地瞭解你的目標客戶：他們做什麼生意，為什麼做，為什麼喜歡這行，他們的理想是什麼，面對的挫折和問題是什麼。不要試圖去推銷。把

這段時間用來問一些間接相關的問題。哪怕他們主動問到了，也不要讓自己急於推銷。在你的籃子裏還沒有裝滿關於他們的一些資料和資料之前，不能輕易開始推銷。先輕鬆一下！讓自己表現出對對方的興趣，而不是讓對方對你產生興趣——至少不是現在！如果你不得不談談自己，那就談談你和這種產品或服務打交道的經歷，最好是你個人生活中的有關經歷。不要在此時推銷！

了不起的銷售狗永遠都是學生，永遠都在學習人類的心理以及他們的肢體語言，透過模仿和學習，並利用各種其他手段幫助自己建立起親和的人際關係。你只需花幾分鐘的時間，就可以瀏覽有關培養銷售狗親和力的軟體工具包，而你得到的將是和目標客戶之間的迅速溝通、理解和親密的個人關係，不管你和客戶是直接打交道，還是和他們在電話或互聯網上進行溝通。

在此期間，你要提問並聆聽對方的回答。最初的問題可以是：

- 你是透過什麼途徑瞭解到我們的產品或服務？
- 你有哪些與我們的產品和服務相關的具體需求？
- 當你得知這種產品或服務的時候，它的哪些具體特點激發了你的興趣？

在聽取對方的回答時要留心獲取並記住重要的資訊，而且你要通過確實的方式向目標客戶表明你在注意聽取他們的意見。這會讓他們明白，你是真正地、全心全意地關注並渴望瞭解他

們的想法。在他們說話時，注意不要打斷他們，不管他們剛剛說過的話讓你感到多麼興奮，都不要隨便插言。有很多時候，銷售人員會在目標客戶發表評論的過程中插進去，提出一種方案或一個絕妙的主意，他們自以為依照對方的思路，一定會對他們提出的想法感興趣，不要犯這樣的錯誤。要自始至終聽完對方的陳述。可能他的話中有某些地方讓你興奮不已，但是請記住，所有的目標客戶都有這樣的想法，那就是把他們的想法告訴你。他對你聽了他的話之後有什麼意見要表達根本不感興趣，除非他說完了他必須說的話。所以，務必保持安靜、注意聆聽。

接著，你要繼續提出一些開放式的問題（一些不能用一個詞就簡單答覆的問題），比如為什麼、什麼時候、多少等。這些第二層次的問題應該涉及目標客戶本人，即他們的業務、他們的本質需求以及他們具體想要的是什麼，如果剛才他們沒有告訴你的話。換句話說，不要急於求成，要多瞭解他們的業務，如果這是一筆商業推銷的話。如果你負責的是零售，那就試圖更多地瞭解他們將如何利用你的產品或服務，盡你所能瞭解最多的資訊。

如果你經手的是一種網路市場行銷，那你要瞭解他們為什麼參與其中，或者為什麼對這種商機表示出興趣，弄清楚他們究竟有哪些具體的目標。認真聽取他們的想法，瞭解以下三點：

1. 他們具體、切實的目標；
2. 他們對如何實施或利用該產品或服務所持有的意見；
3. 他們的心理期待。

你要瞭解的是他們希望得到怎樣的感覺，或者如果該產品或服務滿足了他們所有的期望，他們會產生怎樣的感覺。這一點非常重要，因為當你開始答覆他們時，你必須以這些為標準向他們提供資訊及服務。

如果目標客戶只是想讓你介紹一下你提供的產品、服務或商機，堅持讓你先說的話，你應該禮貌地表示同意，然後在提出幾個簡短的問題之後開始你的介紹。不過，要確保先聽對方說，這一點很重要，因為它能給你充分的時間放鬆自己，還能使你瞭解目標客戶的一些重要資訊——他們的經歷、他們的情緒、他們的需求、他們的期待、他們的身體語言以及其他許多有關他們的事情。

第六步

第一次聯絡的唯一結果應該是訂好下一次約見的時間，屆時提出意見書、草擬方案或者一個操作過程，向客戶演示如何實現他們所提及的那些目標。如果你在第一次交談中就能實現這一點，那就更好了。不過，即使第一回合沒能達成交易，也不要灰心。記住，你目前的工作是建立關係。

你在第一回合中的目標實際上是雙重的。第一個目標，正如我剛才提到的，是創造一個機會、預定另一次見面，或約定另一個時間為他們提出的問題提供更為詳盡的答覆。你的第二個目標是向他們作出一個承諾，這個承諾沒有其他任何目的，無非是要證明你可以信守承諾。

（當然不能把這個告訴目標客戶。）你可以作出這樣一些簡單的承諾，如：「我後天會打電話給你，告訴你我這邊的進展情況如何。」或者：「我會在四十八小時內寄給你一些手冊和推薦信。」即使目標客戶不需要這些東西，你也要創造機會向他們作出類似的承諾，然後履行。這是在他們心目中建立個人記錄的開端，讓他們下意識地形成一種印象，認為你是可靠的、言出必行的。此後，在你和目標客戶進行的每一次交談中都要抱有這樣一個目的，那就是保證至少向他們作出一個新的承諾，以便在不久的將來能將你上一回的承諾再次兌現。

記住，好狗總是能在球被扔出去之後把它取回來，牠們會一次、一次、一次、一次地把球取回來。你也必須為目標客戶創造這樣一個球，給承諾就像是扔球，這樣才能為他們提供某種服務。一旦你把球放在他們手中，實際上就等於替他們把球扔了出去，然後你就可以開始重新把球找回來了。這樣一來，你就可以在他們的腦子裏留下一種難以磨滅的印象，讓他們下意識地信任你、關注你。你在他們心裏留下了一種值得信任的記錄，今後，當他們要在你和他人之間進行取捨時，他們就會記起你是一隻言出必行的銷售狗。

在此後的會晤中，你要按計劃提供更多的資訊，提出更多的企劃，作出承諾，然後簽下訂單。

讓我們看看弗朗辛的故事吧。弗朗辛是一個很漂亮、很有親和力的人，她除了待人真誠外，最大的優點就是聰明，能真誠地關注他人。

可是每次弗朗辛在銷售會晤後回到辦公室裏，她的經理都會問：「你今天完成了幾筆交

易？」這讓她非常鬱悶，尤其是當她無法滿足經理的期待時。她對這份工作感到很灰心，最終離開了公司。她發誓自己再也不做推銷了，而是去做一些壓力不大、收入更穩定的工作。她的一個朋友建議她去應徵一個銷售職位，透過電話推銷網路服務。她對此痛苦不堪，說自己再也無法重新承擔起銷售帶來的那種壓力了——尤其是電話推銷。不過她反正有時間，所以就去了。她喜歡上了這種服務，而且很快就和主持面試的經理艾瑪建立了很好的關係。她在面試中對艾瑪說出了自己的顧慮。艾瑪鼓勵弗朗辛再嘗試一次，她告訴弗朗辛，她每次撥打電話只有一個目標，那就是爭取再一次與目標客戶進行電話聯繫的機會。要麼為他們提供更多的資訊、履行自己作出的承諾，要麼就是跟蹤一下進展情況。艾瑪知道弗朗辛是一隻道道地地的黃金獵犬，非常願意為客戶提供服務，同時她也是一條巴吉度獵犬，有能力贏得別人的心。儘管弗朗辛與別人的交談都是在電話裏進行的，她還是成功地成了團隊中的頭號銷售狗。她再也不用擔心成交的問題了。她要做的就是盡可能確定下次電話聯繫的時間和日期，就像按部就班的工作一樣，然後再如約和對方聯繫。對弗朗辛來說，每一通電話就是一次服務的機會，每一次的電話約定都是為了建立起越來越深的關係，而成交自然成了水到渠成的事情了。

第七步

多年來，當銷售給我帶來些許麻煩的時候，我最愛走的就是這一步，也正是這一步，使我二十多年來在銷售行業裏始終保持著第一的地位，現金滾滾而來。我的技術助理為此恨透了

我，我的商業夥伴和我共同度過了許多不眠之夜。直到今天，我有時還要為此而徹夜不眠，不過我仍然一如既往地決心走好這一步。

那就是對他們有求必應！

是的，就是這一步。這就是我所說的「魔杖」之路。「如果我能揮動魔杖，創造一個最理想的方案，提供最完美的服務、最好的保單、最好的房子，那世界將會怎樣？」我認真聆聽，再問幾個具體問題，然後準備提供服務。我會跑到地球的盡頭為他們找到那個他們想要的球，不管它被扔到了什麼地方。我會讓他們隨時瞭解我一路上所作的調查、創造、嘗試和我經歷的種種磨難，（還記得要保持聯繫的原因吧？）然後想辦法找到一種途徑，解決他們面臨的問題。

當你向他們提出有關魔杖的問題時，客戶可能會提出這樣一些典型的要求：「我想要一種能徹底改變我這些經理心態的培訓，讓他們意識到自己是教練而不是獨裁者。」「我想要我的貨物每週一上午九點前到達紐約。」「我想要找到一種獲得財務自由的方式，同時又不用辭掉現有的工作。」

那些日子，我實際上就是在利用這種技巧，而且甚至把門檻又提高了，我向客戶保證，如果我不能提供他們想要的服務，那他們就不必付款。我只有一次退款的經歷，而那只不過是因為我自己對培訓的結果不夠滿意。

所以，對於大部分合理的要求，總有一種解決辦法。了不起的銷售狗就能把這個辦法找出來。有一次，我有一個朋友在找一個投資顧問和一個新的會計。他見了很多有資歷的候選人，

也對他們進行了面試，但總是不滿意。在一次派對上，他偶然和一個年輕人提起了這個惱人的心事，而那個傢伙恰好是一個會計。他很聰明地向我這個朋友提出了這樣一個問題：「如果我能揮動魔杖的話，你真正想要我做出的投資策略是什麼樣子？」我的朋友有點惱火，因為在那之前，所有人對他說的都是自己不能做什麼。過了一會兒，他回答說：「哦，我希望能在延期納稅的基礎上進行投資，而最終在將來的某一天能把錢免稅收回來。」那個年輕人笑了笑說：「誰不希望這樣啊？」然後他很快補充道，自己也沒有把握，但他問我的朋友是否願意在下個星期的某個時候到他的辦公室面談，屆時他的一個保險業同事、一個證券投資經理和一個稅務律師也將到場。我的朋友高興極了。我不知道他是否得到了自己想要的全部東西，但是當我問起他的時候，他只是咧著嘴大笑著說：「我有一個專門的團隊在處理這個問題。」在上述案例中，這個會計很聰明，雖然他自己沒有解決辦法，但是他無所畏懼，仍然去搜索對方想要的方案，為自己、甚至自己的幾個朋友贏得了一個終生的客戶。

我在ＩＴ業中從事銷售的時候，我的技術助理經常會對我大叫，說我們的電腦不能具備我向客戶承諾的那些功能。我告訴他們，我們應該儘量想辦法去做到這一點。通常我們都能找到解決辦法，或者能夠找到另外一個系統滿足客戶的需要。我也曾為此丟掉幾個客戶，但只是很少的幾個，而且那些客戶肯定也成了我的競爭對手的沉重負擔，因為客戶的期望值已經被我抬高了。

安排落實（完成交易）

第八步

不管是在第一次預約還是在以後的預約中，你總要面對自己需要發佈資訊的那個時刻。如果你已經向對方提出了問題，感覺和對方在一起很舒服，並且認為彼此之間已經建立了一些聯繫，那就要開始對他提出的問題進行答覆了。向他解釋你的產品、服務或商機將如何解決他面臨的切實問題、心理問題和情緒上的問題，並注意他的反應，注意他對你的話所做出的肢體語言反應。是點頭、眉毛緊鎖還是雙臂交叉？是在你說話的時候忙著別的工作還是兩眼發愣？

注意所有的這些身體暗示，儘快對其做出反應。當目標客戶的肢體語言明顯表明他們不感興趣或者不同意你的說法時，不要錯誤地繼續發表沒完沒了的演說。如果在你說話的時候，你的目標客戶開始去做另外的工作了，這可不是一個好兆頭。你必須停下來，與目標客戶確認一下你正在談論的要點。如果你看到的是消極的肢體語言，或者感覺局面開始失控，你一定要停下來，問問客戶或顧客是否理解了你說的話，他覺得怎麼樣，以及他聽懂了沒有。隨便問什麼問題都行，只要能得到對方的回答，你就能知道自己進展到哪一步了。如果你不能肯定這次談話是否進展順利，就不要一個勁地給自己挖坑了。提些問題，如果他的肢體語言或答覆都比較積極，說明事情進展得很順利。不時地再和他確認一下，問問他是如何處理這個資訊的，要靈活。如果有必要就要暫時改變進程或方向，不要呆頭呆腦的，但是一定要遵循目標客戶的意願。

當時機成熟時，你就可以開始詢問目標客戶對如何利用該產品、服務或機遇持有什麼觀點。讓他們說說自己希望事情如何進展下去，什麼時候才算時機成熟。只要你感覺目標客戶理解、同意或支持你對他所說的話，時機就來到了。如果你已經對他提出的大部分異議都進行了答覆和解決，如果你的答覆和解決方案都能讓他滿意，如果桌面上似乎沒有更多的議題要處理了，那就意味著時機成熟了，你可以開始提出那些問題了。

我把這部分過程叫做「安排落實」。你應該把「完成交易」這個詞從你的推銷詞典中刪除出去。沒有人願意被完結，而且許多推銷員很害怕成交這一關。你應該這樣看待這個過程，就是僅僅把它視為一種安排和落實，落實如何安裝、實施、提供或註冊等問題。首先，問問他怎麼想，或者他有什麼感覺。一旦目標客戶開始思考這方面的問題了，那一切都簡單了，你只要問問他們「什麼時候」、「在哪裡」和「怎麼做」就行了。「你希望什麼時候接受服務？」「你希望多早開始？」「你想多長時間內把這個機遇利用起來？」

與此同時，當然也可能是在作出安排之前，你無疑會遭遇對方提出的一些疑問和異議。記住要提前訓練自己應對批評的能力。儘量快、多、頻繁地進行操練。這麼做的目的在於，當談話過程中對方對你提出批評意見的時候，這種批評就成了談話內容的一部分，而不會給你帶來太大的情緒波動。盡你所能對所有的批評和疑問作出簡明扼要的答覆。不過，在大多數情況下，在答覆疑問或處理批評意見時，比較恰到好處的做法是先提出一個問題，比如：「謝謝，你感覺這可能略微超出了你的預算，對此我十分理解。可是你為什麼會這麼想呢？」或者，

「你說現在你還沒有準備好，為什麼這麼說呢？」

你的提問要真正針對「為什麼」，而不是試圖讓目標客戶落入陷阱，這樣你就對他的苦處表示出誠摯的關切。要不斷地提醒他們，一旦擁有你所提供的商品或服務，他們將得到哪些確實的利益以及會給他們帶來哪些心理上的、不可抗拒的好處。千萬不要試圖操縱目標客戶，他們可以感覺得到，且會像任何一隻困獸一樣掙扎著逃脫。銷售是交友，是建立關係而不是一場智力決鬥。這就是為什麼你不一定非得是一隻猛犬，也照樣能在銷售中賺大錢的原因。比特狗、貴賓犬、黃金獵犬、吉娃娃或巴吉度獵犬，都能夠以他們各自的風格在銷售過程中表現出色。

吉娃娃的狂熱有助於建立非常親和的客戶關係，因為目標客戶可以看出他對自己是真的很關心、很在意。真正的黃金獵犬可以為客戶提供支援與理解，這是他們特有的優勢，可以在這方面讓目標客戶感到很溫暖。貴賓犬可以為目標客戶提供個人就某方案的專業看法，能讓目標客戶對產品、服務或商機所具備的優勢和可靠性充滿信心。巴吉度獵犬是打造親和關係的大師，他那天生的聆聽能力和對客戶的苦衷自然流露出的同情與理解，會讓目標客戶在一連好幾個月都和他走得非常親近。看家狗是為當下這一刻而生存的，面前的機會越多，他們就越高興。比特狗到了這個階段就要注意了，要有耐心，要把批評轉化成進一步的交談，至少要裝成感興趣的樣子。在此給比特狗的提示是：關注眼前！不要多想，不要對自己或目標客戶妄下預斷。

這一輪需要做出的預約可以是一次，也可以是六次。運用你的判斷力，斷定自己的精力什麼時候會出現下降趨勢。在狀態開始低落之前要嘗試結束談話。最理想的情況是以中等的狀態

開始、以絕佳的狀態收尾。及時打住，留給對方一個期待的空間，期待你將來能夠提供更多更好的資訊。在每次交談中都要向他們提出一些安排或落實方面的問題，起初要微妙些，然後要更具體一點，在對付大部分異議和疑問時也是如此。

大部分目標客戶若是真的對你的商品感興趣，就會非常清楚自己想和你商定怎樣的安排。不過有人可能並不感興趣。那沒關係，不要放在心上。你每次去商店難道都是見什麼就買什麼嗎?當然不是了。可能這個人想要的東西你沒有，這沒什麼。一旦你意識到自己沒有合適的辦法解決顧客面臨的問題，那就要輕鬆地承認這個事實，這會為你樹立起極高的聲譽。如果你不得不退出，那就要體面地退出，然後很從容地詢問這個目標客戶，是否恰好認識別的什麼人有可能對你提供的產品、服務或商機感興趣。從他那裏要來這個人的名字和電話，並問他是否願意提前打個電話給這個新目標客戶，告訴對方你將和他聯繫。

還有一些人所面臨的目標客戶最終沒有足夠勇氣作出決斷。一切都得到了答覆，而且目標客戶確實非常需要你的產品或服務，但他似乎無法作出決定。對一個做了大量工作、投入了大量精力、已經到達了這個階段的推銷員來說，這種情況實在讓人鬱悶。當心!不要失去耐心!如果你把扳機扣得太快了，你會前功盡棄的。如果你面對著這種困難處境，可以試著這樣做。不要再提出「有關安排上的問題」，而是簡單地告訴目標客戶，你可以在何時、何地或是如何提供你推銷的商品。注意他的反應，他可能簡單地表示同意，聽憑你安排，這樣，這筆銷售就算成交了。如果他還是猶豫不決，你就要試試比特狗的做法了。我曾經試過這樣的反應，結果

挺有效。我是這樣說的：「好吧，隨便你。那麼請告訴我，我該做些什麼才能讓事情成交呢？在這一點上，不管你讓我做什麼，我都願意效勞。在我們開始進入實質階段之前，還有什麼事情需要解決嗎？」

記住，如果你自始至終一直表現得像一隻真正的黃金獵犬的話，那麼安排和落實就不會有什麼困難。問問你的目標客戶，他是否能想像得出一旦擁有了這種產品、服務或商機，自己會有什麼變化。等他開始說的時候，你就可以輕鬆地問他是否現在就開始落實這一切。

我很想說，這一輪只要走過一圈，你就大功告成了。可事實並非如此，這些步驟可能會是一個不停旋轉的迴圈，你要和你的顧客不停地周旋於其中。銷售就像是跳舞，你需要移動腳步、搖擺身體、彎腰鞠躬、不停旋轉。和跳舞相比，銷售中唯一不同的是其中的音樂永遠不會真正停止。如果需要的話，你可以反覆回來和同一個舞伴再次攜手起舞。

你要不斷地努力讓目標客戶瞭解，你可以為他們提供哪些售後服務與支持。告訴他們推銷只是個開始，而不是結束。一旦成交，有關支援、安裝、應用和有助於你取得成功的其他一系列工作也就拉開了序幕。你要向客戶保證，如果這些沒能兌現，你將非常樂意無條件地歸還他們的全部投資，做到這一點非常重要，這等於把全部風險從客戶那裏拿過來放在自己這一邊。

永遠不要害怕提出這樣的問題：「我們何時可以開始落實？」如果你每次都用同樣的方式提問，客戶會感到有壓力，所以你要用幾種不同的方式、在幾個不同的時候提出這樣的問題。

如果你的目標客戶需要更長的銷售週期，那麼你每次和這個客戶打交道時的任務就是首先

和他達成一項協定，履行你的承諾，同時要讓他也承諾採取進一步的行動。這個行動可以是完成財務報表，可以是完成一項調查，可以是拜訪一個用戶網站，也可以是和一個當前的用戶交換意見。

記住，在整個推銷過程中，總會有一刻買方會覺得這筆交易非常完美。在這一刻他會極度興奮，為自己這個頗有創意的決斷而感到驕傲，或者只有在這一刻，他才能夠真正想像出自己正在採購的商品將給自己帶來的好處。這個時候，你要及時地提出這樣一個絕妙的問題，「你還認識什麼人會對此感興趣嗎？」這一刻可能出現在簽下訂單前的某個時候，也可能出現在成交後的幾天或幾周內。但是千萬不要在目標客戶正在簽字、或正在結束交易時提出這樣的問題。不管他看上去如何鎮定，此時他的心理總有一絲畏懼、猶豫，或者一點胡思亂想。別逼他了！

不要提出類似問題，除非他處於那種穩定的、驕傲的情緒之中，否則你會讓他產生一種買方容易出現的後悔心態，讓他覺得你感興趣的不過是把商品推銷出去，而不是和他建立長期的關係。這個問題如果問得是時候，那他會毫不猶豫地把另一個人的名字告訴你，而你就可以建立滾雪球式的聯繫，再也不用不打招呼就去聯繫陌生人了！

概　述

贏得目標客戶

1. 和你最先認識的人交談。

2. 用你感覺最舒服的方法進行最初的接觸。
3. 做好市場調查。

預約

4. 給對方留下極好的第一印象。
5. 在赴約之前，把注意力集中在你希望打開的局面上，而不是一味地恐懼。
6. 再次預約下一次見面或電話聯繫的時間，找一個保持聯繫的理由。
7. 對他們有求必應。

安排落實（完成交易）

8. 提出問題並處理批評意見。認真聽取目標客戶的意見並觀察目標客戶，尋找購買的跡象。安排落實，用適合客戶的方式、而不是適合你的方式來達成交易。

骨頭：成交是一種心態，而不是某一次交易中最後發生的某個事件。你應該始終專注於詢問、安排、儘量落實並儘快解決所出現的問題。

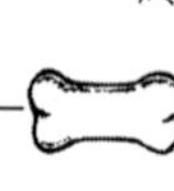

十六、這到底是誰的消防栓？

——領地管理祕訣

世上沒有一隻狗對自己的領地缺乏意識，也沒有一隻狗在自己的領地遭到侵犯時還渾然不覺。你那頑皮的小狗總是蹺起腿，不分青紅皂白地四處便溺，劃出自己的領地。不過，大部分銷售狗（當然不是所有的）都會透過一種更文明的方式來劃出他們的領地。

銷售狗的領地可以按地理範圍劃分、按產品劃分、按行業劃分、按目標市場群體劃分或者按關係網絡劃分。不管如何劃分界線，劃界的規則和保護個人領地的規則一直未變。

一隻出色的銷售狗必須學會監管自己的領地。像狗那樣「標識」個人領地顯然不被社會所接受，但你確實可以透過許多方式進行個人領地的劃分和管理，而且做好這項工作將有助於你取得重要的成就。

和世人抱有的普遍看法恰好相反，管理個人領地並不僅僅是為了防範競爭對手或入侵者。在銷售界，個人領地的確立非常重要，因為它賦予了銷售狗一種意識，讓他意識到自己的戰場在哪裡，並讓所有場內的生物都知道誰是這片土地的「管家」。銷售狗在領地中逡巡過多次以

後，就會熟悉這裏的每一種氣味、每一塊構造和每一寸土地的蜿蜒起伏。他或她對居住在該領地內的每一個生物都瞭若指掌，瞭解其習性、禮節和風俗。

銷售狗會保衛、監管自己的領地，對領地內的每一點躁動和變化都抱有無休止的好奇心。銷售狗應該對自己領地內的每一家公司都瞭若指掌（他們在行業中的排名、管理理念如何，他們是否在擴張、在萎縮，等等。同樣，銷售狗應該對那些和自己保持合作關係的人也瞭若指掌）他們的地位如何、別人對他們的評價如何、他們的事業發展方向如何，以及他們面臨著怎樣的情緒問題。一旦這隻銷售狗掌握了所有這些資訊，那領地內所有的生物都會把他視為該領地的管家。

我有一個朋友，多年來一直在雪梨從

事辦公產品銷售。自從他開辦了這樣一家商店後，他就開始興致勃勃、認真負責地在那片領地上來回巡視。在雪梨或者在整個澳洲，沒有一件發生在辦公用品業內的事情是他不知道的。雖然有時候也有其他的狗前來冒犯，在他的領地裏撒尿、亂劃亂擦，他的銷售額仍然保持著持續增長。其他的那些狗都曾經來了又走了，只有他至今仍把守在那裏。他非常成功，而且成了當地最大公司的固定採購來源。

由於他的耐心和他在那片領地上的長期監管，領地上所有的生物在經過一段時間後都倒向了他這一方。如果你有耐心、有遠見，金錢就會滾滾而來，擋都擋不住。

這就是為什麼你要監管一片領地並保住它、開發它的原因。這裏每一個人都應該認識你，知道你是做什麼的，而任何與你的產品或服務有絲毫聯繫的資訊都應該彙聚在你這裏。時間和領地可以讓銷售技巧最差的銷售狗也能變得富有起來。

對年輕的小狗來說，這相當艱難，因為他們沒有耐心等待結果。所以在這個過程中，你要為自己取得的小戰果喝彩，對自己取得的成績給予認同，這對保持情緒高漲十分重要。領地的管理並不難：就是每天、每週、每個月都不停地聞、不停地刨。這一點非常重要，因為目標客戶會看到你一直在挖掘，他們會感覺你是在為他們挖掘新的相關資訊。最終，目標客戶和客戶會被你吸引過來，因為你已經在他們心中留下了一個印象，那就是你是穩定可靠的。這是巴吉度獵犬的強項，這個強項絕對值得其他狗學習。

順便說一句，我們之前討論的技巧，即如何對目標客戶和老客戶作出承諾並信守承諾，在

領地管理上也是一件重要的工具。有目的地向他們作出承諾，答應打電話給他們、寫信、順路拜訪他們、為他們提供資訊或者提供一些商務或非商務的服務，藉由這些，你可以有步驟地在他們心目中建立一種值得信任的印象。

雖然總會有新來的狗在你的消防栓上撒尿，在你的客戶身上蹭來蹭去，明智的銷售狗仍會持續保持可靠和忠實的姿態。你會被視為棟樑，而不是拆臺的人。

十七、遠離流浪狗收容所

——銷售狗的職業發展

你和我這樣的人之所以被這種強度大、壓力大、機遇多的銷售行業所吸引，其中的一個原因就是我們都喜歡追逐，喜歡贏，喜歡一次次的面對。我們就是為了下一次刺激、下一筆交易以及下一回衝刺而活的，有這種個性的人是永遠不會停止搜索，這是好事。但是，我們如此渴望得到迅速而頻繁的滿足，這最終也可能讓我們誤入歧途。

如果你在很長一段時間裏把狗獨自留在家裏，不去陪伴牠、鼓勵牠，那牠就會把房子拆了，把傢俱吃下去，四處遊蕩，擅離職守。而如果一隻銷售狗與他人失去了互動和交流，最終也會做出同樣的事來。

出色的銷售狗都明白自己需要集中精力、投入和保持耐心。而你對你的領地、你的行業和你的產品來說也應該如此。如果不管什麼時候，只要發現還有一塊地方尚未被你掃蕩過，你就翻過籬笆、跳槽而去，那你為瞭解領地所花的時間和精力就失去了意義。

所有出色的銷售狗都在長時間的實踐中通過某種方式逐漸培養出了一種行為原則，那就是

集中精力、持之以恆、習慣於遲來的滿足。而沒有經驗的銷售狗，尤其是一些高度興奮、容易緊張、信奉完美主義的銷售狗，他們在銷售額低迷的時候就容易驚慌失措，甚至在銷售順利的情況下，也總是一隻眼睛瞄著後門，覺得外面可能「有什麼更好的事情出現」。

你要想找到一條淪入流浪狗收容所的捷徑，那就不妨用那種「草總會更綠」的心態活著。在這個行業裏，你只需用五分鐘就能從一個傳奇人物淪為一個失敗者。這就是這種遊戲的性質。你的成績完全取決於你最近一次所完成的銷售任務。

銷售狗都受金錢的驅使，而且我們每個人都有很強大的動力。不過，不斷地追求更大、更好、更多可能意味著當我們的船即將靠岸時，我們卻迫不及待地跳入了河槽。要建立人際關係、讓別人對你產生信任，你必須付出時間、精力、關注、投入、服務、忠誠和意願。而有太多的流浪狗卻否定了所有這些工作，阻礙了成功的氣勢。我們都夢想著做一個「手到擒來」的推銷員，都夢想著所有的人能主動來找你、主動提出購買。如果你把自己的時間都花費在從一個公司跳到另一個公司，或者更糟糕，從一個行業跳到另一個行業中，那結果往往是你前腳剛走，後腳就跟進來一個人，把你辛苦工作取得的成果輕鬆地摘走了。如果你遊蕩得太久，那就永遠都無法獲得回報、取得成果。

那麼，那些四處遊蕩的狗會有怎樣的下場呢?

最終，他們會惹人生厭，被送到收容所裏去。幸運一些的可能會得到第二次機會，但是大部分將慘遭閹割，被送去放牧或者被宰殺!

許多流浪的銷售狗都渴望像從前那樣去做推銷，長時間流浪的銷售狗甚至還緊抓著那曾經輝煌的五分鐘榮譽不放。他們會對任何一個感興趣的人講起自己過去的那些輝煌戰績。

可是，對許多這樣的狗來說，他們那種鬥志已經如動過外科手術般地被切除了——不是被獸醫手中的手術刀，而是被市場切除了，因為市場總是支持那些似曾相識的微笑的面孔，這些面孔屬於專注而投入的銷售狗，而那些四處遊蕩、低聲哀鳴、總是做逃兵、總是急功近利的流浪狗永遠都要受市場的擠兌和排斥。

在這個世界上，到處都遊蕩著成千上萬隻原本很出色的狗，這些狗若是能得到正確的訓練，找到好主人，都能成為冠軍狗，成為了不起的獵手。銷售狗也是一樣。過早取得成功對於某些銷售狗來說並不是一件好事，因為他們會因此變得急躁起來，渴望再現輝煌，經受不起低潮的磨練，跳出銷售狗的成長週期。

記住，銷售之所以被稱為一個週期，就是因為它是一個迴圈，總是一圈一圈地迴圈反覆。其中有喜有憂、有高潮有低潮，但是每一個階段終究都會過去。

法蘭克是多倫多最出色的直銷人員之一。他在很短的時間內就建立了一個發展速度堪稱一流的銷售網絡。於是，他迫不及待地想再表現出成績，在兩年內至少前後跳槽到六家公司，試圖建立起一個類似的龐大的銷售網絡。他本來前途無量，可以成為千萬富翁，但是他沒有耐力，也沒有耐心。

那些曾經被他招為部下、多年來堅持在同一個方向上努力奮鬥的人現在都已經退居二線

了，每個月可以坐收上萬美金的無息收入。而我最後一次聽到法蘭克的消息時，他不過是一個微不足道的小主管，埋沒在某個大公關公司裏，住在市郊，還在和別人講述著自己當年的輝煌。

我的兄弟是一隻經典的銷售狗。在他那種巴吉度獵犬的風格下，其實隱藏著一種兇猛的比特犬的性格。當他還是個年輕的小銷售狗時，曾經從一個行業跳到另一個行業，最終進入了庫房設備和倉儲系統銷售行業。他花了好幾年的時間才有所收穫，因為儘管他盡了全力，還是沒能找到適合自己的位置。我們一家人都很擔心。提姆能行嗎？他難道註定這輩子就翻不了身了嗎？

不是的！提姆的明智之舉就是在這個過程中選擇了幾家公司，這幾家公司在業界都很有名氣，因為他們提供的培訓項目是最出色的。他的轉變是跨越數年的轉變，而不是一年內在好幾家公司之間跳來跳去。一旦他發現了一種能真正激發他興致的產品和服務（他總是喜歡玩貨車和起重機），他在馴狗師職位的競爭中就會脫穎而出，把競爭對手拋在十萬八千里以外。他的技巧和他豐富的經驗都已經累積到了頂峰。他現在住在一棟占地數英畝的大房子裏，位於克利夫蘭最好的一片區域。我還記得他說過，雖然多年來他對自己曾經做過的那些職位一直都不滿意，但他還是決心做下去，在起步之前儘量多地學習並掌握必要的技巧。

你一定見過這樣的人——

他們似乎整天都在打高爾夫，從來就不登門推銷或撥打推銷電話，但他們總是能找到最好

的推薦人，似乎從來都不用為銷售額擔驚受怕，訂單似乎總是不斷。這是因為他們對自己的主人、自己的領地、自己的業務線路一直忠心耿耿，經過一段時間後，他們已經成了其他所有人爭相效仿的榜樣。他們之所以能得到如此令人豔羨的位子，就是因為他們已經成了這裏任職時間最長的人，看上去就有權威的氣派。

那些從一個地方跳到另一個地方的流浪狗就永遠無法得到這種關鍵的能量積累，而正是這種積累才能讓他們具備一種令人難以抗拒的吸引力。最終，他們缺乏戰果，由此導致動力不足，隨之而來的是他們頭腦中揮之不去的消極想法，而這種消極的態度將使他們喪失銷售的能力。

我認為，銷售這個職業對任何人來說都是一種最有力的個人成長鍛鍊。為什麼這麼說呢？因為每一天，當你面對鏡子的時候，你都不得不看到自己究竟是個怎樣的人。你想什麼、做什麼、有什麼感覺、甚至回避什麼，都將決定你最終能把自己塑造成一個什麼樣的人。

我還發現，不管在世界什麼地方，幾乎所有商界成功人士所取得的成就都能追溯到銷售這個根源上來。這些人之所以堅韌、樂觀、豁達，正是因為他們曾經無數次面對目標客戶，無數次和目標客戶打交道，其中既有大客戶也有小客戶。

你進入銷售業後要作的第一個、也是關鍵的一個決定就是：你該到哪裡去工作。

你看，作為一個職業銷售人員，你在挑選一家公司的時候，不要僅僅考慮你最初能拿到多少津貼，而是要看另一個更為重要的因素，這就是你將在那裏接受到怎樣的教育。不論你最終

選擇的是一家直銷公司、一家房地產公司還是一家綜合性企業，你作出這一選擇的根本原因都應該是這家公司能為你提供出色的培訓。

這將是你所作出最好的長期投資。多年前，我選擇了優利公司的前身，當時我考慮的不是它的產品。事實上，當時它的電腦系統在業內是最貴的，性價比很低，銷售起來是最難的。不過，那裏的培訓範圍很廣，內容很全面。在那裏任職的四年裏，我不僅掌握了銷售工具，而且還培養出了一種根深蒂固的勇氣和決心，我立志要做一個真正的商界高手。

作為經理人，如果你能把精力集中在如何對你手下的狗進行培訓上，那你一定會成為大贏家。而如果你只關心收益，那你頂多只能取得短暫的、稍縱即逝的勝利。作為一隻優秀的銷售狗，你應該挑選那種能給你提供最好培訓的公司。一旦找到了這樣一家公司，就要承諾在那裏至少工作四到五年，這樣你才能細水長流，才能得到持續不斷的指導、培訓和針對你個人的某些點撥，而這些只有在出色的銷售培訓中才能得到。就職時間的長短非常關鍵，它決定了你是否能真正地確立重心、掌握必要的技巧、培養出必要的能力。如果你很快跳到新地方去，那你接受的培訓和指導就將被迫中斷。如果你能表現出一定的毅力和耐心，那麼時間會過得很快，而你最終將獲得巨大的經濟利益。

這就是為什麼我傾向於選擇直銷機構的原因。好的直銷機構能提供大量的培訓和指導，因為每一個人都有一種天生的興致，願意對自己引進的人進行培訓，這能直接讓他的荷包鼓起來。在現代商務世界裏，網絡意味著一切。只要你在人力資源上作出一定的投入，你所創建的

網絡創收能力就能得到極大的提高。

一旦你知道自己屬於哪個品種的銷售狗，你就需要尋找一個導師（一個領路的狗），他來自另一個品種，能夠教給你作為一個高級銷售狗所必須具備的、同時也是你所欠缺的一些技巧。比特狗應該找貴賓犬或者黃金獵犬來做導師，因為他們需要補充一些市場行銷和服務本領，以充實他們的銷售技巧。巴吉度獵犬需要找貴賓犬來教他做市場行銷，而貴賓犬需要從吉娃娃那裏學習一些知識，來填補他那過於平凡的形象。

如果一隻銷售狗能夠保持精力集中，那他的事業將自然而然地得到拓展，就像一組不斷擴張的同心圓一樣逐漸發展壯大。對了不起的銷售狗而言，他的事業發展一共要經歷五次主要的拓展。每一次拓展都意味著佔領一塊更大的領地，意味著更多獲取回報的機遇。

大多數小狗在踏上銷售生涯之初，都是推銷一些零售的產品或服務，這種工作完全以推銷為中心，而且幾乎不需要做任何個人市場行銷。具體而言，他們可能是在一個零售的大賣場裏推銷農產品、鞋子、辦公用品或者男士服裝。在這個階段，成功的關鍵在於信心，有了信心，你就可以從容應對批評和拒絕，從而完成交易。你還需要旺盛的精力和一種感性的、專注的性格，這對建立客戶關係、繼續銷售、提供服務和解決問題都非常重要。作為一隻小銷售狗，你要培養這些技巧，這樣你就能走上一條充滿激情、利潤豐厚的職業之路。

當銷售狗逐漸成熟，學到了更多有關建立以及維持客戶關係的技巧時，他們便來到了公司銷售這個更高的層次。他們仍然在為某人推銷一種產品，例如商務機器、貨運服務或投資專

事業圈

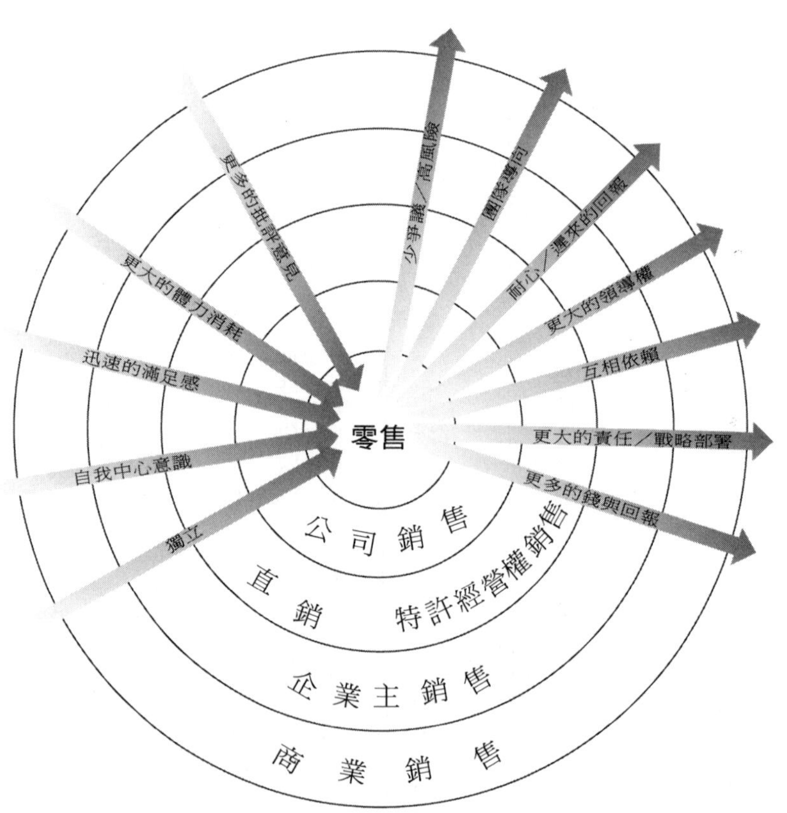

更多的批評意見
少爭議／高風險
團隊導向
耐心／遲來的回報
更大的體力消耗
更大的領導權
迅速的滿足感
互相依賴
零售
更大的責任／戰略部署
自我中心意識
更多的錢與回報
獨立
公司銷售
直銷
特許經營權銷售
企業主銷售
商業銷售

案，但是推銷的產品以及所建立的客戶關係都更為複雜，同時帶來的回報也更多。

在這個層次上，你需要磨練與人面對面交往的技巧，讓對方對你產生信任。你需要習慣和高層決策者融洽相處，同時要習慣於巧妙地將損害賠償控制在一定範圍之內。你必須能夠即興發揮、保持健康的思維方式，這對你在該階段的發展非常重要，同時，你還要有能力把複雜的概念簡化，並把它呈現在你的聽眾面前。

這幾個銷售層次非常穩定，同時，正是在這幾個層次中，我們可以識別真正的銷售狗及其所隸屬的真實品種，以及他們的性情特徵。他們開始認識並接受自己天生的本領，以及自己所屬品種所具備的各種強項。在這個階段裏，大多數銷售狗都能輕鬆地賺到六位數的收入。

在這個時候，千萬不要跳槽！如果銷售狗在這個發展階段選擇四處跳槽，那他們可能永遠都無法進入更高的層次。他們將喪失訓練的機會和持之以恆的力量，失去做看家狗的機會，失去收穫金錢的可能性。

在公司這個舞臺上，他們會自然過渡到管理和指揮獲層上，但是經驗豐富的銷售狗也有可能會捕捉到更大的獵物發出的氣息，於是，當初驅使他們進入銷售這一行的那種獨立的性情可能會伴隨著強烈的熱情再次出現。

在第三個層次裏，銷售狗可能會得到特許經營權，成為企業主，甚至會接受挑戰，建立一個多層次的組織機構。他們會將自己的時間和金錢全部投入進去，全力從事銷售，就像自己剛剛入行一樣。此時風險更大，但回報也將是巨大的。事實上，此時的收入是沒有上限的。不過

這個領域相對而言仍是比較穩定的，因為銷售與發行是有章可循的。在這個層次中，銷售狗仍擁有一定的庇護，不會面臨野外的種種危險。

要在這個層次上取得成功，銷售狗必須讓自己的演講能力日臻完美。他們必須能夠激發並傳播一種情緒，讓別人接受自己的策劃，並能夠陳述遠大的構思藍圖。

對銷售狗來說，下一個層次就是成為企業家，發展自己的理念、產品或服務，建設基礎設施及業務機構，實現生產及銷售環節。這一切都要依靠他自己的觀點和他自己的團隊。銷售狗此時的工作不僅僅是銷售，還涉及如何吸引投資者、借貸方、供應商以及被他納入策劃的其他同盟者。銷售狗此時要對自己的行業技巧進行微觀調整，因為如今他要顧及的遠遠不止一次銷售，還有別人投入的資金、信心和支持。在這個層次上，失敗的比率會非常高，但是可能得到的回報也是決定性的。你問問比爾‧蓋茲和邁克‧戴爾就知道了。

在這個層次上，激情是必不可少的，因為只有激情才能給整個團隊帶來動力，讓人們擺脫疑慮。你要能發揮創造力去解決面對的問題，同時還要有能力找到簡單的出路。要想在該層次上取得成功，是否擁有這種能屈能伸的能力是非常關鍵的。

對銷售狗來說，銷售個人產品並不是終極目標，銷售個人業務才是至高的境界。進入這個最高層次，意味著你已經成為了一名商務構築者和商務銷售者。有許多快樂的銷售狗已經穿越了泥沼，走過了錯綜複雜的叢林，成了一名了不起的商務構築者。一路上，他們的本領和樂觀主義的精神使他們超越了其他的銷售狗，而有的傢伙雖然出身貴族，卻本末倒置，跳到市場裏

就出不來了。所有這些成功人士都擁有一種潛在的本領，這就是能夠創造一種構思，並按照這種構思去做銷售。

要取得這個層次上的成就，就要擁有相當的驅動力，同時還要有能力培養理念、構建策略，既能綜觀全局，又能顧及細節，這些能力都是真正的本領。達到這一層次的銷售狗都是天生的市場行銷家，做起事情來非常系統化。他們很少來自單一的品種，通常是集合了每一種銷售狗的最大優點：比特狗不怕死的拼勁，貴賓犬對市場行銷的悟性和對想像即現實的認識，吉娃娃的資料知識庫、黃金獵犬的低承諾高付出，還有巴吉度的信任和誠懇。這樣的狗該有多麼出色啊！

當你從銷售狗銷售的一個層次來到另一個層次，你的收入和發展機會就會呈指數倍上升。而同時，你也需要對你的成果和你的生活承擔越來越多的個人責任。在這個轉變和過渡的過程中你會發現，推卸責任、輕易為自己開脫以及逃避職責的可能性越來越小，直至消失。你要對所有的結果負責。巴吉度獵犬對這一點的理解最深刻，甚至在他們還是小狗的時候就已明白了這一點，而且隨著年齡的增長，他們會暗自盼望著這一天的到來。

在這個圓圈剛開始的時候，銷售狗要做更多的銷售工作，但是隨著他們過渡到下一個層次，市場行銷技巧開始和銷售技巧同樣重要。貴賓犬對此最為擅長，而且會在早期、在一些低風險的領域裏檢驗自己的市場行銷技巧。

風險在不斷加大，但奇怪的是，來自目標客戶的拒絕和異議卻在逐漸減少。不過，它們的

份量更大了，因為從策略、生產、支援方面投入的資金以及從現金流的角度來上說，目標客戶的每一次拒絕都將導致極大的損失。

最重要的一點是，銷售狗的角色也變了，即從狗群中的新狗變為制定狗窩法則的「指揮」狗。銷售狗每過渡到一個更高的層次，就要承擔更多的領導職責。對那些精力集中、不四處跳槽的銷售狗來說，領導權力完全是事業發展過程中一個自然而然的附帶品。

這種過度為什麼非常重要呢？因為每一個更高的層次都將在你的口袋裏裝入更多的現金。從金錢的角度上看，第一個層次和第四個層次之間的區別就是收入上五到六倍的差距。打獵的本質也發生了變化，當你上升到一個更高的層次時，你會發現打獵不再是在石頭和木樁間衝來衝去，相反，這個過程會以一種戰略策劃和組織協調的方式呈現在你眼前。你是牽動線繩的人，是木偶玩家，而其他的人——那些入行比你晚的小狗們則去做具體的追捕工作。雖說你在絕大部分時間裏仍然處於獵捕之中，但是你的獵物更大、也更聰明了。

對貴賓犬來說，要進入羅勃特・清崎的《富爸爸，窮爸爸》所說的B象限，可不是一件輕鬆的事情，因為：

首先，他們要不就拒絕學習如何推銷，不然就不去磨練自己的推銷技巧。如果你不能銷售，你就不能創建或經營一個成功的企業。你必須向你的客戶推銷產品，向你的員工、投資商和同事推銷你的構思。你每天都必須要推銷你的想法，讓別人接受你甘冒風險的理由。遺憾的是，有很多人把這種了不起的天賦浪費掉了，因為在他們看來推銷是骯髒的。一些人寧願待在

安樂窩裏無所事事，也不願意把自己推到銷售狗所熟悉的第一線上。事實上，我的個人經歷表明，這種對推銷的厭惡情緒背後隱藏著一種對拒絕或對失敗的深層恐懼。不管你是否要創業，只要你認知到你必須進行推銷，而且你必須學會如何把推銷做好，那你的生活就將發生徹底的轉變。

其次，他們不能或者不願意組建一支團隊。你必須能把那些對具體領域更熟悉的人聚集在一起。你必須具備足夠的信心，相信你的觀點或者你的企業能夠發展起來，能吸引別人加入。而且你還要足夠地投入，不能因為前路艱難，就輕易放棄這支隊伍。經驗豐富的銷售狗都曾面對過很多的異議和障礙，他們都曾經全心地投入在第一線，都曾從甘苦中走過。他們也都樹立了足夠的信心，知道自己最終能夠成功。有很多人陷在了S象限中無法脫身，就是因為他們擔心自己可能無法取得成功，結果他們讓所有人失望了。在他們看來，如果自己不能成功，那麼至少安於現狀，可以不用為他人負責。成熟的銷售狗知道如何把一群狗組織成一個群體，如何讓團隊正常運轉，哪怕是面對困境。他們知道只憑一隻狗的力量是無法獲勝的。同樣，僅憑一隻狗也無法聚斂足夠的財富，來打造一個成功的企業。

十八、狗只知道「做事」

有的狗能打獵，有的狗則不行，這其中有一個主要的原因。而這個原因很可能是「為什麼有的人能成功，有的人則否」的最佳解釋。一切都取決於你內心的對白。什麼對白？你一定會問。

這個對白就是剛才說出「什麼對白」的那個小聲音。是的，就是那個小聲音。我不十分確定狗的腦子是如何運轉的，但是我猜牠的運轉方式應該是簡單的，在這種方式下，幾乎沒有意識和下意識之分。這意味著什麼呢？你一天到晚有意識地加以利用的大腦實際上只是大腦的一部分，它計算、核對、讓你開口大聲說話，每分鐘都在制定重要的決策，比如要不要再來一塊甜餅，或者要不要休息一下，來一杯卡布其諾。我聽過許多有關利用大腦的故事，但是最近有消息指出，我們每天有意識地利用的那部分腦子僅僅是我們大腦的一小部分。而其餘的大腦思維被稱為「下意識」。我知道你們當中有人會「無意識」思考，這個問題我待會兒再談。

就我們正在討論的問題而言，當你和自己頭腦中那個小聲音對話的時候，談話的大部分內容來自於下意識。你知道，在下意識中，幾乎所有的空間都被你那些有關勝利和失敗的記憶佔

據了。我不知道狗的頭腦裏是不是也迴響著這麼一聲小聲音，也不知道牠們是否也和人類一樣，會和自己頭腦中的小聲音爭論不休。你知道我指的是什麼樣的對話。意識說：「我今天要去接觸五個新的目標客戶。」而下意識嘀咕著：「他們要是不喜歡我怎麼辦？」意識說：「不管怎樣我也要去做。」而下意識嘀咕著：「你實際上大可以今天做些文字工作，明天再去見那些目標客戶。」這種情形對你來說應該並不陌生吧。

大部分人是「無意識」的。意思是說，那個小聲音源自他們下意識中積累的恐懼和擔憂，結果導致他當前的邏輯意識聲音似乎和那個小聲音是一致的。他們對小聲音言聽計從，不管它說的是好是壞。對他們來說，小聲音即是事實！他們從來都沒有猶豫、沒有試圖去懷疑小聲音所提供的資訊是否可靠，他們根本就不去思考。這些人完全沒有意志力，不受自己的控制。當他們面對發展的機遇時，當他們需要抓住機遇迎接挑戰時，內心的小聲音就開始作怪，結果他們就不惜尋找一切理由來逃避責任，逃避可能出現的不適和尷尬。

關鍵是要明白如何積極地利用小聲音，同時要很清楚人們面對小聲音時都會作出哪些錯誤的決定。我們在這本書中曾多次提到這一點，只是一直沒有對此進行真正的探討。下面，就讓我們來看看如何通過最簡單的途徑對下意識中的小聲音進行積極的利用。

了不起的銷售狗都會遵循一個非常簡單的行為環節。這個環節的第一步是尋找機會。換句話說，他們實際上是在找一個人，讓這個人給他們把球扔出去。他們不是坐在一個角落裏，等人把球遞過來。多年前，當我決定要在銷售行業裏大賺一筆的時候，我決定去問我的經理是否

銷售狗成功循環模式

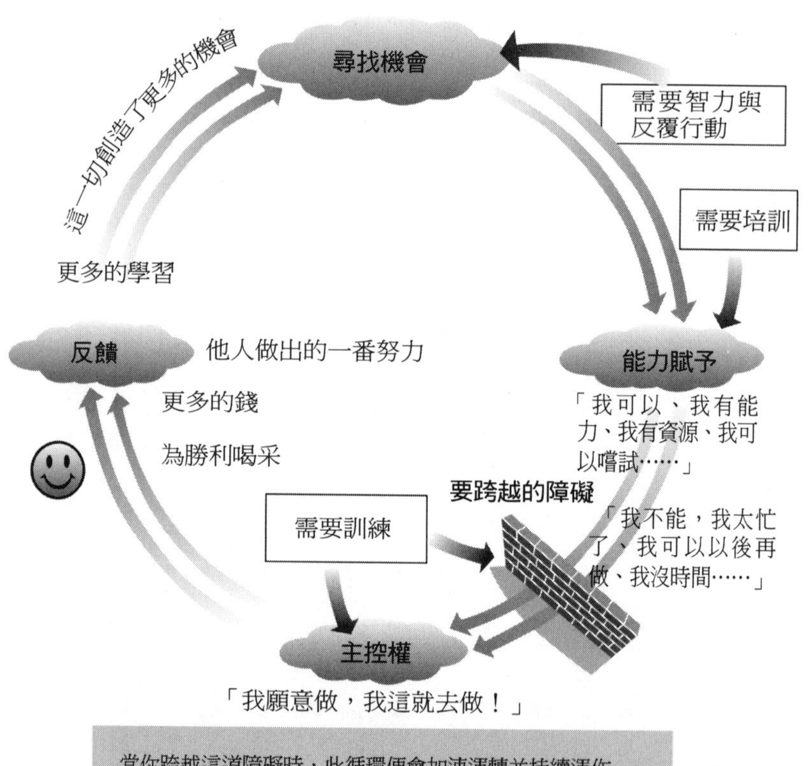
我看到了一次機會
我感覺到這是一次機會
這一切創造了更多的機會
尋找機會
需要智力與
反覆行動
需要培訓
更多的學習
反饋
他人做出的一番努力
更多的錢
為勝利喝采
能力賦予
「我可以、我有能力、我有資源、我可以嚐試……」
要跨越的障礙
需要訓練
「我不能，我太忙了、我可以以後再做、我沒時間……」
主控權
「我願意做，我這就去做！」
當你跨越這道障礙時，此循環便會加速運轉並持續運作

能讓我去開創一片新的銷售領地。如果我當時坐在那裏空等，很可能直到現在我還在等待之中。了不起的銷售狗不會坐著等某人施捨一塊骨頭、提供一次升遷機會或白送他們一份禮物。相反，他們是去積極地尋找這些利益，而且遲早都會發掘到一個。我發掘到的是夏威夷群島當中的兩個小島，把它們發展成了我的新領地。不錯吧！順便說一句，你尋找機會的次數越多，你就越擅長於發現機會。在做了一年的銷售工作後，我開始留心觀察會計設備的使用模式，調查願意購買這些設備的公司的規模以及他們的使用模式。其實，曾經有許多人走過這些地方，但是他們從來就沒有看到機會。而我把這裏打造成了我在當地頭號的銷售領地。

第二步被稱為能力賦予。當狗看到有人在那裏來回逗弄著那個球的時候，牠的大腦會對自己說：「我能讓這個人把球傳給我。」對我們人類來說，這時大腦應該想：「我有能力、有資本，我能夠想出辦法來實現目標。」邁克・戴爾曾一眼看到了直銷電腦系統這個市場，於是他對自己說：「我要走出寢室，一定能實現目標。」而當時，他還在讀大學。

我有個朋友每年春夏兩季都為建築承包商挖土打地基，而在大雪紛飛的冬季裏，他就只做一些木工維生。後來，他看到在城鄉地區有許多企業為除雪花費了大量的資金，而且對有關服務都不太滿意。於是他對自己說：「我這些設備都在那兒閒置著呢，我可以用這些設備來鏟雪。」於是他以雙贏的價格簽訂了一些非常有價值的合約，並雇用原來的工人操作這個設備，而他自己整個冬天都在盡情地滑雪享樂。

第三步，也是最關鍵的一步就是主控階段，你要對自己說：「我要去做，我願意去做，我

立刻就做！」此時，狗會走到球主人的面前，開始實施牠慣用的糾纏伎倆。邁克・戴爾發出了他的第一份廣告宣傳單，我來到了夏威夷群島中的大島，我的朋友走進了城市辦公室。而我們大家頭腦中的聲音很簡單，那就是：「我願意去做。」

如果這一切奏效了，那麼金錢就會隨之而來。顧客會滿意，會推薦別人來光顧你，更多的金錢就會流入，更多的機會就會出現，這個環節就會以更快的速度、更大的動力和更多的回報迴圈反覆。

很簡單，對嗎？錯了！因為大部分人都在「我能」和「我願意去做」這兩個階段之間徘徊不前。有時候另一種小聲音會占了上風，說：「我今天可以去做，但是我不願意，因為我今天感覺不對勁，我很可能會把事情搞砸了。」「我明白我可以把我們的新服務推向一個新的市場，而且我知道該怎麼去做，但是我更願意下個月再嘗試。」「我今天還可以再做一次推銷，但是我還有其他事情要處理，所以還是明天再說吧。」這些聽上去是不是很耳熟？

我覺得狗不會經歷這些精神上的折磨，他們的思維方式很簡單，看到機會，然後從「我看到」跳躍到「我願意」直至「我做了」。了不起的銷售狗在跨越這個界限上都是高手，他們會很快來到「我即刻就做」這個境界。你一定記得耐吉那句著名的廣告詞——「Just Do It」，為什麼耐吉可以憑藉這句廣告詞賺到那麼多的錢？就是因為大部分人都沒有去做！他們都是說起來天花亂墜，但是事到臨頭時卻又紛紛找出一些理由退避三舍或者再三拖延，儘管他們知道自己應該「去做」。所以，他們會產生這樣的感覺，如果自己買了麥克・喬丹腳上的那雙耐吉

鞋，那自己就彷彿是「已經做過了」。

至於為什麼有的狗能打獵而有的狗不能打獵，關鍵就在於此。這是成功乃至個人發展的核心。先不要去想銷售，想想你的生活。「我看到有一份基金在過去三年裏一直在創造收益。」「我可以每個月自動存一百美元，作為長期投資。」「但是我不能，因為我現在根本就入不敷出。」或者，「我看出妻子今天過得不好。她看起來很疲憊，我可以拿出五分鐘的時間聽聽她今天的遭遇，給她一些安慰和支持……不過，我太累了，或者太忙了，或者我可以以後再去做。」或者還有更糟糕的，「她上次安慰我是什麼時候啊？」

每一次你都在事到臨頭時退卻，你和你試圖爭取的目標，不管它是一筆銷售交易、一筆財富還是一種出色的人際關係，總之你和它之間的距離越來越大。在你和你的目標之間出現了一堵牆壁，它越來越厚重，直到一段時間過後，再沒有任何動力能夠穿透它。

銷售的美感在於它每天、每時、每刻都在為你提供機會，讓你面對事到臨頭的那一刻。神奇的是，你越是有能力不受大腦中小聲音的干擾、突破這個界限，你在生活其他領域內做起事情來就越是能夠勢如破竹。這就像剷除冰山一樣，遲早會出現一個裂縫，最終將冰劈成兩半，接著，一系列了不起的事情就會接踵而至。正是通過這個途徑，富人變得越來越富，出色的人際關係變得越來越鞏固，一隻銷售狗最終獲得了冠軍，而銷售額像滾雪球般增加。

訓練自己處理拒絕的能力以及打電話的能力，其目的並非在於推銷，而是要訓練你的頭腦，讓你的思維習慣於跨越障礙，從「我能」到「我願意」到「我做了」。

新加坡航空公司是我的客戶之一。它可能是世界上公認客戶服務一流的公司。它同樣也是通過上述環節實現了自己在顧客服務上的轉變。在這家航空公司，每一個人都要接受培訓，學會如何跨越這個障礙，這樣當他看到一個可以為顧客提供服務的機會時，他就會感覺自己有足夠的力量去說「我能而且我願意」，而不必去尋求批准或許可。這樣一來，整個航空公司就變成了一個服務和銷售的天地。這種培訓的效果遠遠超越了大多數航空公司採用的那種提供銷售和服務的、常規的產品升級辦法。在這家航空公司，每一個員工和代理都接受了培訓，都能夠控制局面，並面對顧客作出正確的選擇來。

我還在空運行業中時，便認定公司培訓中蘊藏著無限商機。我知道我可以藉由教別人改善自己的工作表現，幫助他們提高自己的生活質量。而至於我是否願意去做，就要說起另一個故事了。當時這麼做的風險非常大，一旦失敗，我們很有可能被餓死。

不過，我妻子和我還是打點行囊，離開了南加州，前往鳳凰城去開創新的生活。我們深深地吸了一口氣，說：「我們願意去做。」下定決心去做對我們來說並不困難，因為我們曾經經歷過。我們在經營貨運業務的時候經歷過，我們在結婚的時候經歷過，我們在業務面臨困境的時候每天都在經歷。但最重要的是，在銷售行業任職的這些年裏，我一直在做著同樣的事情。我決定跑到夏威夷大島。我每天都要決定再多打一次電話。我無數次決定把信封投遞出去，哪怕這一次次投遞遠遠超出了我所該做的，遠遠超越了常理。但是當業績提升的那一刻終於來臨時，我的信心就會大增。恐懼總是有的，但是對出色的運動員來說，恐懼是最好的動力，因為

他們清楚地知道，只要自己敢於跨越障礙，就能為未來的努力積聚更大的能量。

如果你從這本書中一無所獲，那麼請幫我一個忙。把這本書放下，找出一個對你生命有著重要意義的人（你的孩子或是其他一個對你來說最重要的人）走到他們面前，抓住這個機會與他們溝通。你只要對自己說：「我看到了這個機會，我可以利用這六十秒的時間為我們之間的關係增添一些美好的東西。我能，而且我願意。」去做吧！這是你所能走出的最重要的一步。再做一次，你會發現一切都變得更自然、更輕鬆。如果你真的做到了，那你將面臨兩種情況。一是你們的關係會比從前好上千倍，二是你在生活其他方面跨越障礙的能力也將得到飛躍。你會發現，推銷、打電話都變得更簡單了，學習新技巧變得更輕鬆了，而做一個你自己想做的人也不再是一件困難的事情了。

狗從不多想。牠們朝屋子這邊看過來，看到了你，看到了一個找人陪伴的機會，接著，牠們就直接走了過來，用鼻子磨蹭你，把濕濕的臉埋在你的膝間。去試試吧，奇蹟就在你眼前！

十九、你究竟是哪一種銷售狗？

那麼，你究竟是哪一種銷售狗呢？

你是頑強的比特狗嗎？你只需要一點點激勵就會立即跳起來追逐獵物嗎？

你是更世故一些的貴賓犬嗎？你明白最關鍵的就是給人留下美好的第一印象、做好個人市場行銷，並和恰當的人建立關係嗎？

你是黃金獵犬嗎？你從不逼迫目標客戶，而是「依偎」著他、找一切機會為他服務，直到你成為他的首選供應商為止嗎？

或者，你是天生好學的吉娃娃嗎？你最嚮往的就是被公認為該領域每一件產品的專家嗎？你希望被視為「知識的泉源」嗎？

你是巴吉度獵犬嗎？你總是按照自己的節奏努力前進、堅持不懈、通過長時間的努力建立自己的聲譽及親和力嗎？你是不是有可能迷惑你的目標客戶，讓他感受到一種舒適感和安全感？你是否可以慢慢地、但十分有把握地把目標客戶的固執一點點削弱，直至徹底攻破，在別的狗早已放棄他們的時候，你哪怕追到天涯海角也要把他們揪出來？

或許，你是一隻喜歡豪賭的看家狗嗎？對你來說，活著就是為了那一次一擲千金的亮牌嗎？還是你一直夢想著成為一隻看家狗？

你最有可能遇到的情況是，從好幾種狗的身上都看到了許多類似於自己的性格特徵。那你就是超級混種狗——狗棚裏最有能力、最有效率的一隻狗。也許你是好幾種狗的混合品種，也許你可以在任何特定的一天裏，按照特定的需要展現出某一種狗的風采來。

我希望這本書能使你對自己、對自己的長處有一個更好的理解。我希望它能讓你產生一種相對平和的心態，接受原原本本的自己，不再逼迫自己去做一些根本做不來的事情。關於銷售的一個神話就是：我們要想成功，就必須變成一個完美的全才。而要想幹一番大事業，就必須做一隻好鬥的、兇猛的鬥犬。我希望這些神話現在都已經被攻破了。事實是，你需要做的就是了解你自己的長處，發揮你的長處，回避或彌補你的弱點。向其他某些銷售狗學習，學習他們的特長，做一隻徹頭徹尾的超級混種狗！

在多年的生活經歷中，我曾見過來自世界各地的許多了不起的銷售狗。他們的品種可謂應有盡有，而他們每一個人都以自己獨特的方式獲得了無比巨大的成功。我發現，如果各個品種的銷售狗都可以按照自己感覺最暢快的方式去盡情奔跑，那他們都能取得讓人難以置信的成績，都能持續不斷地實現自身的發展、取得非凡的業績。但是，如果你把他放在了一個錯誤的位置上，那即使是最出色的小狗也會表現欠佳。

大衛是我的導師之一。他是資訊商務的創始人，在美國乃至全世界範圍內，他所發起的成

功的直接行銷攻勢在數量上都是首屈一指的。他的血液中天生就有一種「狗性」。在下面的對話中，我們可以看到他對自己的評價。

問：大衛，哪一個品種的狗最符合你的特徵，為什麼？

大衛：我的第一反應是比特狗。我很勇猛，而且我感覺正是這種性格特徵讓我和其他的狗有所區別。如果我想和比爾•柯林頓說話，那我就會去找他說話，我會撥打兩百個電話通過一個人、又一個人、再一個人，直到在電話那端找到他為止。所以，我的第一感覺是比特狗。

不過，比特狗缺乏優雅的風度。他總是去攻擊，而我不是這樣；他會狠狠咬住對方，向對方施加壓力，我不是這樣；看到對方受傷或者死掉了，他會異常興奮，我從不這樣，我知道總有一天我還要面對他們；他會咆哮，會威脅。而四十多年的經驗告訴我，咆哮和威脅永遠不起作用。我喜歡讓對方認為自己「做了一筆天下最好的交易」。比特狗可不管這些。

因此我覺得還要加入一些風度在裏面。當然，一想到風度，我就會想起阿富汗獵狗。但是，用阿富汗獵狗作為我的形象代言也存在幾個問題。首先，牠們是四足動物中最蠢的了。我可能算不上是最聰明的人，但我知道我不是最蠢的。其次，他們需要大量的關注與照顧，而我幾乎不需要這些。最後一點，他們謹小慎微，我不是。

杜賓犬也有優雅的一面。我妻子瓊養了一隻特別出色的杜賓犬，我和牠相處了許多年。這種狗和我非常像：好鬥、精明、不需要太多的照顧。可是話說回來，牠讓人感到畏懼，人們看

到它就會躲到馬路另一邊去，而我不是這樣，人們每隔一天就打電話給我，想和我做交易。沒有人想和一隻杜賓犬打交道。不過，我倒是很喜歡牠們那種微妙的能力，讓人既畏懼又敬佩。

另外還有英國獒犬。我一生中養了四隻這種狗，所以對牠可能有點偏愛。不過，牠和我也確實有某些相像的地方：高大、隨意、很好養，非常忠心而且非常非常勇猛。一眼看上去，牠們似乎非常可怕，但是一旦你瞭解了牠們，就會愛上牠們。不管什麼時候只要和牠們在一起，你就得準備一塊「圍兜」，因為牠們的口水會淌得你滿身都是。而你必須接受這一切，把這看成是牠的一部分。（這其中的道理有點像有失必有得。）

所以，在本質上我是英國獒犬（不要鬥牛獒犬搞混了，那種狗體型小得多，而且脾氣非常壞）。

問：要想在銷售中取得非凡的成績，最重要的兩點是什麼？

大衛：這個問題就好答多了。首先，永遠要站在客戶的立場上去考慮問題。你要對自己說：「如果我是這個目標客戶的話，為什麼要和我這個人做生意呢？」考慮一下目標客戶的工作中有哪些方面是他所厭惡和急於擺脫的。如果你能夠找到這個關鍵所在，那你只要按下這個鍵，基本上就能讓他說出你想讓他說的話了。要學會像目標客戶那樣去思考問題，為他服務，讓他的生活輕鬆起來，而你也將取得成功的銷售業績。

大衛在向我推銷的時候，只是說：「如果我能替你實現XYZ，你是否願意付出百分之X？」我說：「如果你真的能做到，這筆生意就是你的了！」就是這麼簡單！

「他們要什麼就給什麼！」

第二點就是交流。假設你去機場趕乘上午九點的飛機，而到了之後才發現，前一天晚上十一點鐘這個航班就被取消了，那你一定怒不可遏。「你們為什麼不通知我？我本可以另行安排的。」所以，一旦你答應某人在星期二給他提供某些資訊，而你卻不能如約履行，那麼儘快打電話給他，告訴他：「布萊爾，我今天不能如約為你提供那些資訊了，不過我會在星期三中午十一點以前把資訊給你的。我會打電話把資料告訴你，然後再發送一份確認的傳真。如果你到時候不在辦公室，我會發給你電子郵件，這樣不管你在哪兒都能收到這些資訊。」一定要給對方回話，及時回話，揣測客戶的需求，在他們開口之前主動提出你願意滿足他們的需求。當你完成一項工作的時候，要打電話給客戶，讓他及時瞭解情況。不要等他打電話給你要進度報告，要不斷和他交流。

真正的獵犬必須具備黃金獵犬的意識

你讓我說兩點，可我還有第三點要說。那就是，要承擔百分之一千的責任。不要說「東西丟在車上了」這種藉口。不要說「事情比我預計的要花更多的時間」，這都是藉口。不要說「我的

資料員今天沒來」，這同樣也是藉口。不要找藉口。如果你把事情弄糟了，就必須承擔你該承擔的責任。「你好，布萊爾。我答應昨天快遞給你一個手冊，可現在它還沒出來呢，我很抱歉，我今天就把它送過去。請接受我的道歉，我沒把事情做好。」

就得這樣做，我的朋友。

大衛是一個真正的主人。

我們在本書開始的時候還揭示了另外一些誤解。我希望你能認識到銷售狗意識的價值所在，哪怕你沒有涉足這個領域。事實上，我們都在隨時隨地進行推銷或談判。不是每一個人都是一隻活躍在職業舞臺上的銷售狗。你也許斷定了銷售不合你的胃口，你也許認為自己目前的工作領域和銷售沒有關係，因此，你那天生的「狗性」可能就還處於休眠狀態。

不過，不管你做什麼，瞭解自己在日常交際中的秉性對你取得成功也是至關重要的。我們人類總是以為大家都和自己一樣，比如，如果你是一個經理人，你可能很不願意去代理一項具體的工作，因為你覺得這項工作太討厭了。事實上，你厭惡的事情很可能很合另一個人的胃口。所以，你要能夠識別周圍的人都屬於哪個品種的銷售狗，這一點非常有價值，而且其價值遠遠超出了銷售本身。你和哪種狗結了婚？你的朋友是哪種狗？你的老闆呢？瞭解你周圍的人的行為特徵和性格特徵，有助於你和他們更好地溝通，更和睦地相處。

要想在這個行業中生存並發展，你不一定非要有犀牛那樣厚的皮，不一定非要有外出覓食

的老虎那樣的殺手本能。你也不必為了從生活中得到你想要的東西而成為另一種人。你可以做你自己，你可以像自己想像的那樣成功，只要你忠於自己，瞭解自己的天賦和長處，學會控制自己的思維和情緒。

我相信，最具挑戰性的職業就是那些能夠給你提供機會去影響他人、說服他人並向他人推銷的職業。除此之外，還有什麼能讓你不得不面對自己、認清自己究竟是誰、在每一天裏都對自己進行剖析並看個究竟的呢？偉大的推銷員到處都有，有的已經在最前線戰鬥了，而有的還待在那裏處於休眠狀態。我猜你（就是現在）就有可能成為一隻不屈不撓的獵狗，這樣的狗都是能給社會帶來巨變、推動社會發展、給社會帶來震撼的了不起的人物。

作為一隻銷售狗，有的時候你必須面對拒絕、失望和沮喪。你還會經歷人生中的激動、興奮、熱情以及成功的驚喜。這是一種很不穩定的生活狀態，但是它每時每刻都會為你提供機會，使你有可能成為你能夠成為的最出色的人。

狗從不放棄，牠們自始至終都充滿熱情和樂觀向上的精神。銷售狗也確實就是為此而生的。我們都有能力去面對自己的恐懼，都有能力去推銷，都有能力去實現自己最大的理想，都有這種追捕的意志力，都有能力樂觀地對待自己可能得到的機遇。

不論是你的銷售人員、你的員工、你的合作夥伴還是你的孩子，他們都愛贏。你的工作就是把自己最出色的東西發揮出來，這樣你就能轉而把他們最出色的東西激發出來，讓他們體會贏的滋味。一切原本就在那裏。如果你對做這樣一件事情有著天生的激情，那你將成為群體的

領袖人物，將激發一大群人。你將成為贏家，而你的群體也將成為贏家。你將對成千上萬的人的生活有所觸動，雖然你可能永遠也不會直接去面對這些人，但他們的生活以及他們的事業將因為你的努力而變得更加美好。

你還要記住，「每一隻狗都有屬於牠的一天。」這一天遲早會到來，成功是早晚的事。你要保證的就是採用恰當的方法和手段去擴大戰果，慶祝勝利、享受勝利。

作為人類，我們所看見的大部分事物都會留在我們的記憶中。當我們看到了一個微笑，記憶會告訴我們，這是認可的標誌；當我們看到一個熟悉的面孔，記憶會讓我們想起一個朋友。但是銷售狗的記憶中只有他們嗅到的東西。當交易的氣息被他們的嗅覺感官所熟悉時，他們就能夠從幾英里以外的地方一路尋來。獵物的氣息也是一樣。相信你的嗅覺，並教會你的銷售狗也這樣去做。

做情緒的主人，這樣你就可以享受自由、享受支配一切的權力，因為你知道你正在把握自己的生活，你就坐在掌握方向盤的位置上，沒有人能把它從你手中奪走。

最後一句建議

「了不起的推銷員是天生的還是後天培養出來的？」對此人們仍在激烈地爭辯著，而我讓你自己來定奪。只有你能作出判斷。我們具備非凡的潛力，完全有可能成為自己夢想要成為的人物，而且我真誠地希望，如果這本書對你沒有產生任何作用，那至少它可以在你的頭腦中打

開這樣一扇窗戶，讓你看到這個再簡單不過的事實。人們都說「狗是人類最好的朋友」。當你踏上征程，在銷售世界中廝殺或四處周遊時，記住這條最為重要的原則：當一切變得艱鉅時（你肯定會面臨這樣的艱鉅局面）記住，要做你自己最好的朋友，好好對待自己，這是你理應擁有的。祝打獵及推銷愉快！

聲　明

本書僅就相關問題提供概要知識，但因各地區的法律制度和實際作業流程都不相同，而且所有的制度和法律都不是一成不變。因此，每種具體情況都有各自的特點，特殊環境應給予特殊考慮，對相關當事人提出的有關建議也應地制宜。建議讀者遇到特殊狀況時，還是要去諮詢自己的顧問。

在本書的寫作過程中，作者的態度相當謹慎，力圖確保書中所述的事實在本書寫作之時是正確無誤的。需要特別聲明的是，對於因為採用本書所提供的訊息而造成非預期的結果，作者與出版社不承擔任何責任。另外，本書所提供的訊息不應該被視為解決個人問題的法律建議。

S0-AJI-375